LES FUNAMBULES

MOHAMMED AÏSSAOUI

LES
FUNAMBULES

roman

GALLIMARD

P. 188 et 192, les vers cités sont extraits de la partie « L'amour qui n'est pas un mot », in *Le roman inachevé* d'Aragon, paru en 1956, dans la collection « Blanche », p. 158, 163, 165-166. Nous remercions vivement les ayants droit de leur aimable autorisation de reproduction.

J'ai vu ses yeux de fougère *s'ouvrir* le matin sur un monde où les battements d'ailes de l'espoir immense se distinguent à peine des autres bruits qui sont ceux de la terreur et, sur ce monde, je n'avais vu encore que des yeux se fermer.

ANDRÉ BRETON,
Nadja

Mais l'étoile se dit : « Je tremble au bout d'un fil, Si nul ne pense à moi, je cesse d'exister. »

JULES SUPERVIELLE,
Les amis inconnus

CHEZ NOUS

Chez nous, il valait mieux avoir un père mort qu'un père absent. Un père mort, on pouvait lui inventer une légende, un accident du destin. Les familles les plus heureuses étaient celles dont le père n'était pas revenu de la guerre : un martyr rayonnait sur au moins trois générations. Venaient ensuite celles dont le père était handicapé – il y en avait beaucoup dans le village. Un handicapé restait une sorte de héros, un aimé de Dieu. Il avait sa place assurée au paradis. Il fallait voir la fierté de certains unijambistes et de fauteuils roulants qui nous donnaient, à nous les gamins, des ordres toute la journée, demandant de l'aide comme si c'était un dû. On pouvait difficilement leur dire qu'ils en devenaient pénibles.

J'avais rapidement compris qu'il existait un mensonge. Il me semblait qu'il y avait plus de héros que d'hommes tombés à la guerre. Une chute dans un chantier, une bagarre mortelle, un soir de beuverie qui se termine mal, ces malheurs se transformaient, les années passant, en martyres. C'était plus présentable.

Dans la hiérarchie des absences, notre famille arrivait

en dernier. Un père qui part faire fortune loin de son pays et qui ne revient qu'une fois, avec moins d'argent qu'au départ – c'est-à-dire moins que rien –, c'était la double honte. Il laissait une femme se débrouiller seule avec un enfant vite conçu – afin de prouver qu'il était viril –, et la famille restait pauvre et montrée du doigt.

On enviait les foyers dont les absences étaient excusées, tels ces pères qui envoyaient peu d'argent mais régulièrement. Ils revenaient chaque été, avec les bagages remplis de vêtements et de bijoux fantaisie dans une voiture flambant neuve. On les regardait rentrer au village comme un grand film en plein air, les yeux ébahis. C'était l'image de la réussite – et peu importe si le véhicule avait été loué le temps d'une saison et si là-bas, dans le pays où ils étaient partis travailler, ils vivaient la misère dans une chambre occupée par trois ou quatre frères d'infortune. Si ça se trouve, ils ont croisé mon père.

Avec tout ça, je ne peux pas dire que j'ai été malheureux. Bien au contraire. L'enfance me protégeait de tout – se débrouiller pour manger était un jeu. Les cailloux et la poussière constituaient mon royaume. Je ne voyais pas le mal. Ni les humiliations.

Plus tard, bien trop tard, j'ai compris ce que ma mère avait enduré pour ne pas perdre la face. Je ne raconterai pas. Je peux juste dire qu'à sa place je me serais jeté à la rivière. Mais grâce à elle, cette rivière, je l'ai aimée comme je n'ai jamais aimé d'autre lieu – je m'y baignais, j'y jouais, je m'y lavais aussi. Je dormais l'après-midi à l'ombre d'un grand arbre au bord de l'eau. Cette sensation, je ne pourrai jamais l'oublier. Aujourd'hui, dès que j'entends la musique d'une rivière, mon corps se souvient.

Un arbre et une rivière, c'est tout ce qu'il me reste de cette période, quelque chose qui me tient chaud, que je ravive les jours de moins bien. Comme Manon des sources quand elle songe à son père disparu, je revois les jours heureux de notre misère.

Maintenant, je vis en France. J'y suis arrivé à l'âge de neuf ans. Ma mère m'avait prévenu trois jours avant de prendre l'avion. À cause de ça, j'ai peur des voyages. J'ai oublié jusqu'aux prénoms de mes amis d'enfance. J'ai fait un peu le même chemin que ce père dont je n'ai plus eu de nouvelles ; mais moi, au moins, je n'ai pas laissé de femme au pays. Juste quelques regrets et une forme d'insouciance.

Le village natal a été rasé pour moderniser le pays. Il n'existe plus. J'ai dû changer le nom de mon lieu de naissance. Et, désormais, quand je dis « Là-bas », c'est ce que j'appelais « Chez nous », avant.

CHACUN PORTE SA FÊLURE

Je ne l'ai jamais dit à personne, mais il faut bien le raconter un jour : notre maison n'avait pas de toit – « notre » est un bien grand mot : elle n'appartenait à personne. On dormait les uns à côté des autres, à même le sol. On allait chercher l'eau à la rivière – dans mon souvenir, il y avait bien un kilomètre, mais c'est un souvenir à hauteur d'enfant, peut-être était-ce juste à quelques centaines de mètres. Avec mon cousin – mais était-ce bien un cousin ? –, on portait deux grands seaux et on avait intérêt à ne pas en renverser. Lui était fort, ne rechignait jamais à la tâche et parlait peu ou alors pour me dire, quand je réclamais une pause, « C'est-bon-on-y-va ? ». Il pouvait avaler la poussière sans rien dire et marcher des heures sous le soleil de l'après-midi, le reste du temps il s'asseyait contre un mur, toujours le même. Il avait six doigts à chaque main, le sixième flottait, inerte. Bien sûr, tout le monde le surnommait « Six-Doigts ». Je ne me rappelle pas son prénom. Comme tous les simples d'esprit, il avait sa place gardée au paradis, mais ça lui était bien égal. Il est mort en escaladant un poteau électrique. Il n'y avait que ma mère et moi dans le cimetière dévasté.

La pluie était une aubaine, il suffisait de sortir un tonneau et on récupérait l'eau sacrée. On mangeait une fois par jour – le plus souvent du pain trempé dans de l'huile d'olive, ce qui me donnait ce teint jaunâtre. Il ne fallait pas se plaindre, il y avait plus pauvre que nous, c'est sûr. Par exemple, les chats errants et les chiens amaigris qui craignaient les hommes et rasaient les murs comme des hyènes.

J'ai trente-quatre ans, maintenant. Je ne suis jamais retourné au pays natal. Je ne peux plus dire « Chez nous ». Je ne sais pas le dire. Je ne me sens chez moi nulle part – d'autres ont déjà exprimé ce sentiment, je peux ajouter qu'on se sent allergique à toute communauté, même à la sienne. On se sent étranger à soi. On met du temps à se lier à quelqu'un. On n'adopte jamais vraiment un lieu. On n'habite nulle part.

Je peux affirmer – à la différence de la plupart des personnes rencontrées par la suite – que j'ai rarement éprouvé le sentiment de honte. Je leur ai dit, à ces personnes – qui étaient pour moi comme des frères, des sœurs ou des parents –, il n'y a pas de honte à être pauvre, mais elles ne voulaient pas m'entendre, expliquant que je n'étais plus vraiment de leur monde et que je ne pouvais plus les comprendre – cette honte était comme une tache de naissance qu'elles voulaient cacher. J'ai toujours pensé que le destin pouvait bien endosser un peu de responsabilité. Que c'est une question de chance. Qu'on ne choisit pas où l'on arrive au monde, ni son sort. La vie est une loterie.

J'exerce le métier de biographe pour anonymes. Je raconte les vies de ceux qui veulent laisser une trace, même dérisoire. J'écris pour ceux qui ne trouvent pas les mots. Ceux qui pensent utile de narrer leur histoire afin qu'un membre de leur famille éclatée puisse la découvrir un jour. À chaque fois, j'ai l'impression de rédiger des messages dans des bouteilles jetées à la mer ; je sais que ceux à qui s'adressent ces livres les ouvrent à peine, quand ils ne les oublient pas dans un carton. À force, j'ai compris : on écrit pour soi.

Une fois l'an, il m'arrive d'aider une célébrité à publier son ouvrage avec son nom écrit en gros sur la couverture. Un homme politique, une personnalité ou un grand spécialiste dans son domaine qui n'ont pas de temps à consacrer à ce « loisir », mais tous me disent que c'est important pour eux, de signer un bouquin – « ça pose, les Français aiment ça. Et puis il faut que je transmette mes Idées / mon Savoir / mon Vécu ». C'est selon. Au début, ils ne prennent pas l'exercice au sérieux – ils pensent : deux ou trois rendez-vous et c'est plié, le reste ça sera fait avec la doc / les interviews déjà réalisées / l'entourage… Petit à petit, ça les prend aux tripes – j'ai vu un ancien député pleurer, un artiste m'envoyer jusqu'à dix messages par jour et au milieu de la nuit… Je ne peux pas dire les noms, c'est contractuel. Une fois, un grand médecin a même oublié que je l'avais aidé, mais je le comprends. Il est passé à la télé pour la promotion de son livre et je l'ai entendu parler des « affres de la création », qu'il avait même sacrément souffert en écrivant.

Je ne peux m'empêcher de trouver toute existence extraordinaire. Pour peu qu'on veuille bien prendre la

peine de se pencher dessus, chaque vie est exceptionnelle et mérite d'être contée, avec sa part de lumière,
ses zones d'ombre et ses fêlures – il y en a toujours, je sais
comment les détecter. D'ailleurs, c'est mon obsession,
ça, quand je rencontre quelqu'un je me demande quelle
est sa fêlure : c'est ce qui le révèle. Et dans ce domaine, il
n'existe pas d'injustice, pas d'inégalité : chacun porte sa
fêlure, les misérables et les milliardaires, les petites gens
et les puissants, les employés et les patrons, les enfants
et les parents.

Scott Fitzgerald, qui s'y connaissait en existences
fêlées, écrivait que « toute vie est bien entendu un pro-
cessus de démolition », c'était dans *La fêlure*, justement.
Mais, chez nous, c'est le contraire : toute vie est une
entreprise de reconstruction. Parce qu'on naît détruit.
Après on essaye de bâtir comme on peut quelque chose
qui ressemble à une existence normale. Je me demande si
l'écrivain américain ne partageait pas cette idée. Dans la
même page, il ajoutait : « On devrait par exemple pouvoir
comprendre que les choses sont sans espoir, et cepen-
dant être décidé à les changer. »

NADIA

Aujourd'hui, il m'arrive ce que je jugeais pathétique chez les autres. Rien ne m'importe plus que de retrouver Nadia. Cette fille que je n'ai pas su aimer. On s'était donné la main il y a maintenant seize années, autant dire un siècle. On avait dix-huit ans, et des airs de chiens sans collier – enfin, surtout moi. Nous marchions des heures ensemble. On s'amusait à prendre le métro d'un bout de la ligne à l'autre – seuls les mendiants rivalisaient avec nous.

Pour moi, Nadia représentait l'amour absolu. J'avais trouvé en elle ce que je cherche éperdument chez un être : cette douceur infinie qui autorise à être soi, le nid de la confiance. Une épaule où poser ma tête. Nous n'avions pas su nous parler, attendant que l'autre se dévoile, n'osant pas gâcher cette possibilité d'avenir. Elle me renvoyait parfois au livre d'André Breton *Nadja* et la ressemblance avec son prénom me troublait et m'attirait. Elle aimait bien me rappeler cette phrase : « *Nadja*, parce que en russe c'est le commencement du mot "espérance", et parce que ce n'en est que le commencement. » Sans doute que nous aussi on préférait vivre avec un début d'espoir, et juste le début. Avec le recul, je crois surtout que nous étions des handicapés du sentiment, atteints de pudeur maladive. Mais qui peut aider les gens qui ne savent pas se dire je t'aime ? Nous étions livrés à nous-mêmes. Pour en rire, on se surnommait les « Maverick », ces animaux errants et fuyards, épris de liberté.

Nadia était de ces femmes qui ne laissent jamais de traces, même à l'heure d'Internet où il est si facile de tomber sur une photo de n'importe qui du moment qu'il s'est affiché une seule fois quelque part. J'ai eu beau chercher sur les réseaux sociaux, je n'ai rien trouvé qui puisse m'aider vraiment. Je n'ai que son visage en tête qui ne m'a jamais quitté, ses yeux verts en amande et ses lèvres rouges, sa démarche lente, ses gestes délicats, sa timidité. Mais pas une photo ni un mot d'elle que j'aurais gardés auprès de moi.

Elle ne disait presque rien mais je ressentais presque tout.

Je ne sais qu'une chose d'elle, et cela ne m'étonne guère : pour la retrouver, il faut que je cherche dans les milieux associatifs, parmi les bénévoles. On m'a dit il faudrait voir du côté des Restos du Cœur, d'ATD Quart Monde, des Petits Frères des Pauvres, ou ailleurs, peut-être, dans des structures plus récentes, comme le Collectif Les Morts de la rue. Tu la retrouveras là-bas, me conseillait-on. Mais Nadia était une funambule, toujours sur le fil de la vie : aidait-elle ou était-elle aidée ? Personne n'aurait su le dire vraiment.

Un jour, on se voyait déjà depuis plus d'une année,

elle m'avait cité cette phrase qu'elle avait attribuée à Jules Supervielle. Elle l'adorait, elle répétait souvent : « Je tremble au bout d'un fil, si nul ne pense à moi, je cesse d'exister. » Est-ce que j'avais bien compris tout ce qu'elle voulait me dire ? J'ai longtemps cherché un message derrière cette phrase.

Nadia voulait mettre des paroles sur les maux des autres et de la beauté chez les plus démunis. Elle pensait : le livre, c'est aussi important que le pain, l'eau, l'électricité... Je ne comprends vraiment cette idée qu'aujourd'hui.

Écrit-elle ? Qu'est-elle devenue ? Sait-elle le métier que j'exerce ? Elle aurait aimé, je l'espère. Elle m'aurait sans doute aidé. Elle savait lire les silences. Dans ce domaine, elle avait acquis une grande expérience.

Moi, je suis né dans une famille où l'on n'affichait pas ses sentiments. C'était considéré comme un signe de faiblesse. Il fallait trouver une autre langue pour s'exprimer. Je me rends compte qu'on n'avait pas beaucoup de mots – la plupart tournaient autour des verbes « manger » ou « s'habiller » ; aucun ne disait les tourments ni les élans du cœur. Tout ce que l'on faisait devait être utile. Et penser n'amenait rien de bon.

« L'ÉCRITURE EST LA VIE »

Le grand neuropsychiatre Jean-Patrick Spak me propose de déjeuner avec lui et son équipe. Il a écrit des livres qui touchent un grand public parce qu'il a mis sa discipline à la portée de tous. J'aime beaucoup sa démarche – il a été l'élève d'Oliver Sacks, le célèbre neuropsychiatre, l'iconoclaste auteur de *L'homme qui prenait sa femme pour un chapeau*. J'ai acheté ce livre une vingtaine de fois, je l'offre comme le plus précieux des cadeaux. Sacks y relate une vingtaine de cas cliniques sidérants : une dame incapable de situer son corps ; des jumeaux autistes qui ne communiquent que par nombres premiers ; un malade dont la mémoire s'est arrêtée à la fin de la Seconde Guerre mondiale – Jimmy ne retenait pas les événements récents, il croyait toujours que son petit frère était à l'école primaire, plus de cinquante années après... Le cas qui donnait le titre au livre était fascinant aussi. C'était l'histoire d'un professeur d'université important, si je me souviens bien, qui ne voyait pas précisément ses élèves ou ses voisins (ses yeux ne présentaient pourtant aucun signe de maladie) et usait de toutes les ruses pour tenter de les reconnaître. Il confondait la tête de sa femme avec un chapeau. C'est un livre qui mêle les mystères du cerveau et du langage.

On parle de tout cela avec Jean-Patrick Spak – ici, toute l'équipe lui donne du « JPS ». Malgré sa notoriété, c'est quelqu'un qui écoute les autres, a toujours des idées neuves. Il a soixante-quatre ans, une belle allure, avec une barbe soigneusement taillée. Il est très grand, souvent il a ce geste de mettre sa main sur l'épaule de son voisin. Il porte toujours un costume bleu et une chemise blanche sans cravate. Sa voix douce engage la confiance. Il a une réputation d'homme généreux. Je ne comprends pas pourquoi il s'intéresse à moi et me pose de nombreuses questions sur mon activité de biographe pour anonymes. Grâce à l'argent qu'il gagne par la vente de ses livres et ses conférences, il investit dans des associations et les aide dès qu'il est sollicité. « Une dette à l'égard de la vie », me dit-il sans que je comprenne tout, sinon que, sans doute, sa fêlure est là. Je sais qu'enfant il a échappé à la mort et qu'il est resté longtemps dans la précarité avec sa mère. Lui aussi son père est parti sans laisser de nouvelles, ça nous rapproche. Ce n'est pas tant le malheur et la misère qui ont failli le tuer, mais le silence. Cette impossibilité de raconter, devoir mentir, cacher qui il est. « Je me taisais, je me taisais, et j'étouffais. C'est écrire qui m'a sauvé. » Il me dit ces mots forts, comme ça, mine de rien : le silence est assassin. Quand il était gamin, écrire était un instinct de survie. Aujourd'hui, le grand médecin qu'il est devenu sait que raconter son histoire, si tragique soit-elle, participe à la reconstruction. Il sait qu'une fêlure ne se referme jamais. On met du baume dessus, des couches de protection pour ne pas imploser. On fait avec.

Sans que je m'y attende, JPS me lance : « Je connais le travail que vous faites, je voudrais que vous participiez à mon nouveau projet que j'ai pompeusement intitulé "L'écriture est la vie". Il me tient à cœur, ce projet. Je pense que les mots peuvent, peut-être pas guérir ni réparer, mais contribuer à ce que les personnes vulnérables se sentent véritablement exister. C'est sans doute puéril, mais les mots – écrits – donnent un sens à nos vies, un ancrage. Je m'appuierai sur des données scientifiques pour le démontrer. Les gens précaires souffrent de ne pouvoir écrire, de ne pouvoir coucher leur récit sur du papier, de ne pouvoir en parler. Ils flottent, ils ne possèdent pas de généalogie, pas de traces, pas d'appuis, leurs familles sont le plus souvent disloquées. Il faut les aider. Vous savez faire cela, vous savez écouter – je vous connais plus que vous ne l'imaginez. De par votre parcours, vous êtes bien placé pour les comprendre. »

Je ne saisis pas tout, mais au bout de quelques minutes je dis oui, comme je dis souvent oui avant de mesurer les conséquences. Histoire de mettre une condition à notre collaboration, je lui affirme que je m'autorise le droit de ne pas écrire si je ne le sens pas, si je n'arrive pas à avoir des atomes crochus avec les intéressés. « Bien sûr, bien sûr », acquiesce-t-il, puis il m'explique qu'il mènera ce programme durant deux années et qu'après il rendra un rapport pour multiplier ce genre d'initiatives à l'échelle nationale si c'est concluant.

À la fin du déjeuner, il ajoute que pour les modalités pratiques son assistante prendra contact avec moi. Il s'étonne que je ne pose pas de questions sur la rémunération. Je veux moi aussi garder ma part de mystère et je lui dis : « Une dette à l'égard de la vie. » Il sourit.

UN LIVRE POUR LES ENFANTS

Ils m'ont contacté pour écrire sur leurs trente années de mariage. Les noces de perle. Ils veulent laisser un livre pour leurs enfants, mais surtout pour leurs petits-enfants. C'est leur fierté, ces petits-enfants. La femme, qui doit avoir la soixantaine, me dit que ses enfants – deux filles et deux garçons, âgés entre vingt-six et trente-deux ans – ne comprennent rien à tout ce qu'elle a fait pour eux. « Pas un pour rattraper l'autre, filles ou garçons, c'est du pareil au même », s'insurge-t-elle. « Évidemment, avec un père comme ça », ne cesse-t-elle de répéter ; et lui, à peu près du même âge, ne dit rien, manifestement habitué. Elle compte sur les petits-enfants qu'elle adore – j'ai envie de lui dire qu'on n'a pas de petits-enfants sans enfants, mais, comme son mari, je préfère me taire.

Dans le couple, c'est elle qui parle tout le temps et, visiblement, elle décide de tout. Lui se contente d'acquiescer. Elle répond même quand je m'adresse à lui.

Elle me raconte longuement sa vie – ses « sacrifices », le mot revient trop souvent à mon goût. Sacrifices qu'elle a faits toute son existence, me dit-elle – pour son mari, pour ses enfants, pour ses parents, pour tout le monde. Elle a déjà le titre en tête : *Ma vie pour vous*, oubliant au passage que l'ouvrage doit être signé avec son époux. Elle se noie dans des détails sans intérêt ni sens, ne cesse de couper son mari.

Les enfants, elle n'en voulait pas, raconte-t-elle, c'était par accident – quatre tout de même. Elle est impudique et dit qu'elle ne voulait pas entendre parler de pilule, ça fait grossir et c'est pas bon – ajoutant, à propos de son mari en faisant des signes de la tête vers lui sans le nommer, « Il ne savait pas se retenir ». Je remarque l'utilisation du passé.

Dès que son mari commence une anecdote ou se permet une remarque, elle l'interrompt avec des mots qui rabaissent – « Il est nul... », « Il n'a pas été foutu d'avoir son bac. Moi, c'est normal, j'allais me marier... », « Qu'est-ce que je fais avec un homme pareil... », « Ce qu'il peut être con... ». Toutes ces phrases assassines qui pénètrent le cœur d'un être et le détruisent mieux qu'un poison.

J'ai dû arrêter. Je n'écrirai pas leur livre. Et je crois qu'il n'existera pas.

MA MÈRE

Les murs sont gris et vieux. Dans la petite cour qui veut se donner des airs de grand jardin, des personnes âgées marchent en traînant les pieds, tête basse. Deux sont assises sur un banc en bois vert près d'un arbre. Un vieil homme dodeline de la tête sur un fauteuil roulant immobilisé. Une dame s'appuie sur le bras d'une jeune femme noire en blouse blanche. On a l'impression que leur espace est bien défini, ils font le même trajet. Ils tournent, tournent comme dans une cour de prison. C'est la maison dite de repos – « Le Temps des Répits », c'est son nom –, à Tournan-en-Brie, en Seine-et-Marne, le terminus de la ligne de chemin de fer. De l'extérieur, le bâtiment est ravalé, mais l'intérieur laisse à désirer.

Au premier étage, dans une grande pièce sur la porte de laquelle figure le numéro 4, il y a quatre lits. Deux sont vides ; dans le troisième, une personne dort profondément. Il est 14 heures. Le quatrième lit, sur le fond, à gauche, est entouré d'une femme d'une quarantaine d'années et d'un homme plus âgé, au crâne dégarni : la responsable de l'établissement et le médecin. Ils sont avec ma mère, qui occupe ce lit depuis maintenant trois années. C'est l'une des plus jeunes pensionnaires, et de loin, avec ses cinquante-sept ans, mais c'est la plus abîmée – elle fait bien plus que son âge. Elle est toute courbée. Une vie à tenter de s'en sortir, ça laisse des traces. Elle a eu un grand coup de fatigue qui l'a clouée sur place ; cela lui arrivait de temps en temps, mais cette fois-là, toute force l'avait quittée. Son cœur et son corps sont prématurément usés, a diagnostiqué le médecin. J'ai réussi à lui trouver cet endroit où, enfin, quelqu'un s'occupe d'elle.

Avec elle, on répète inlassablement le même rituel. Je viens la voir tous les dimanches après-midi, sauf ceux où je dois me déplacer en province. Elle me demande comment je vais, je lui réponds « Bien » et elle est contente. Elle ajoute « Fais attention » et je lui dis « Oui 'Man, ne t'inquiète pas. » Elle affirme qu'elle va toujours bien, mais je ne la crois qu'à moitié ou pas du tout. Nos conversations ne durent jamais plus d'une dizaine de minutes mais elles suffisent à nous exprimer. On marche un peu. Elle ne sait pas aligner deux phrases en français, mais elle a toujours su me dire « Je t'aime, mon fils » ; par moments elle ajoute « habibi », et cela me fait chavirer à chaque fois.

Je ne parle pas la langue de ma mère. C'est compliqué pour échanger des choses profondes.

Elle a voulu s'intégrer à son pays d'accueil, a éprouvé les pires difficultés à apprendre le français et a encore de gros progrès à faire – « ça ne rentre pas, je suis arrivée trop vieille ici, mon fils. Toi, tu peux », me répète-t-elle. Mais pour rien au monde elle ne retournerait là où elle est née. Le pays maudit. Parfois, elle veut prouver qu'elle est parfaitement à l'aise en France. Ainsi tente-t-elle, non sans audace, de placer une formule qu'elle a entendue. Par exemple, j'aime quand elle me dit pour m'encourager : « Tout salaire mérite travail, mon fils. » Je lui réponds : « Non, 'Man, on dit "Tout travail mérite salaire". » « Oui, oui, je me comprends, je me comprends. » La formule exprime certainement ses pensées, elle qui a tant trimé pour pas grand-chose.

Elle a su créer son propre sabir. Elle est devenue analphabète bilingue.

Ne pas écrire. Ne pas savoir écrire. Est-ce que quelqu'un sait à quel point ne pas savoir écrire est une souffrance ? Ma mère m'en parle, elle qui n'a jamais pu mettre noir sur blanc ses pensées. Ni une liste de courses. Même son prénom ou son nom. Elle me dit « C'est difficile, la vie, sans savoir écrire, mon fils. C'est comme si j'étais handicapée. Je ne peux pas t'envoyer un mot, et je ne comprends rien à ces téléphones à main (c'est ainsi qu'elle appelle les portables). Et puis tous ces papiers qu'on reçoit ; à chaque fois, je suis obligée de demander aux voisines. Savoir lire et écrire, c'est être libre, habibi. »

De mon côté, quand je vais en province ou à l'étranger, je lui envoie des cartes postales, avec mon prénom en majuscules pour qu'elle puisse le reconnaître et des petits soleils dessinés. Je sais qu'elle est fière de recevoir ces cartes et les montre à ses voisines.

Même à l'oral, c'était compliqué tous les jours. Elle ne pouvait pas s'exprimer en français. Dans un supermarché, c'était la galère : elle montrait du doigt pour désigner ce qu'elle voulait – comme un bébé. J'en ai passé du temps avec elle à lui montrer cinq produits pour en choisir un, à lui dire le prix de chacun, car elle ne lisait pas les chiffres non plus. Elle prenait un temps fou et, aujourd'hui, je me rends compte que c'était comme un loisir pour elle. Je me souviens aussi que ma mère voulait négocier avec la caissière. Je lui disais : « Non, 'Man, ce n'est pas possible, ce n'est pas elle qui décide, elle n'a pas le droit de négocier, elle risque de perdre son travail. » Je crois que mon aversion pour les supermarchés vient de là. Au bout de cinq minutes, j'ai le désir irrépressible d'en sortir.

Mais à nous deux, malgré cette impossibilité de dialogue, on s'est créé une sorte de soutien indéfectible sans mots. Chacun pense à l'autre, avec cette idée toujours en tête : il n'est pas question de craquer. Même dans ce lieu de répit, ma mère tente de tenir vaille que vaille. Je sais qu'elle le fait pour moi.

Avant de partir, le médecin demande à m'accompagner à la sortie – je vois son nom sur son badge, « Dr RIEUX », il est nouveau ici. Il me dit d'une voix extrêmement douce, comme s'il voulait me protéger d'un danger : « Vous savez, votre mère est très affaiblie. » Je ne vois pas quoi lui répondre et je m'entends lui affirmer : « Je sais, je sais. »

J'avais dix ans, cela faisait une année que j'étais en France. Je me rappelle cette scène dans un mélange de flou et de netteté, comme une fenêtre dans le brouillard. Je ne l'ai jamais oubliée, seulement je ne me souviens plus quel mois ce pouvait être ni où précisément. Un début d'après-midi, un mercredi sans école ? J'entre dans un local. Je vois des tas de vêtements pliés et posés devant moi sur des tréteaux. Je n'ai d'yeux que pour une veste de survêtement Adidas bleu électrique, les trois bandes sont tricolores – les couleurs de l'équipe de France. Ma mère me glisse dans l'oreille que je peux aller choisir les vêtements que je veux. Que c'est mon tour, on a le ticket avec le numéro. Je ne comprends pas tout, mais je sais que c'est important, que je pourrais peut-être porter cette veste bleue. Je ne choisis qu'elle et je reviens vers ma mère avec la trouille que l'on me reprenne ce vêtement de rêve. Ma mère me demande d'y retourner et d'en prendre d'autres – j'en prends au hasard, une autre veste de survêtement jaune, un maillot vert de l'équipe de Saint-Étienne sur lequel est floqué le numéro 17 un peu usé, des chaussettes, un pantalon trop grand. Je reviens vite vers ma mère et je ne pense qu'à une chose :

ne pas lâcher ma veste Adidas. Pourvu que personne ne me la reprenne, pourvu que ma mère ait pensé à payer.

Quand je sors de cet endroit, je suis enfin soulagé, j'ai gardé la veste Adidas bleu électrique – je veux la porter tout de suite – et laissé les autres vêtements à ma mère.

Maintenant je me souviens : c'était à la mairie. Je me souviens qu'à la sortie, sur un panneau était écrit

« DONS DU SECOURS POPULAIRE
VÊTEMENTS / JOUETS »

BIZNESS

Je suis heureux ce matin. J'ai pris mon pantalon de survêtement pour aller courir. Il est 8 heures. Une heure que j'aime bien, avec cette fraîcheur. Il n'y a presque personne dans les allées du jardin du Palais-Royal. Au début, je cours doucement, je respire profondément et je savoure ce moment. À cet instant de la course, je présage de mes forces : cinq kilomètres aujourd'hui, me dis-je, je programme la distance sur l'appli Adidas Runtastic de mon téléphone portable, mais je sais que je vais m'arrêter au troisième.

Petit à petit, j'accélère le rythme, par des foulées plus longues, plus régulières. Je suis toujours en quête de cette sensation que les sportifs aguerris appellent « l'ivresse du coureur ». Je ne l'ai ressentie que trop rarement. Au deuxième kilomètre, je ne sens ni mes jambes ni mon cœur. Je transpire. L'impression de m'envoler. Je suis heureux de ne penser à rien. Je souris tout seul. Je regarde au loin devant moi et j'imagine un objectif inaccessible. Au bout de vingt minutes, je suis essoufflé. Nadia revient dans mon esprit. Nadia, mon point de côté. Son visage m'obsède. Les images du temps où on était ensemble se bousculent. Ce sont toujours nos « balades » en métro dont je me souviens le plus. Et son regard.

Je me mets à marcher pour tenter de récupérer. Je n'ai plus qu'un seul souci en tête : prendre une douche. Sur l'appli de mon téléphone, je vois que je n'ai couru que deux kilomètres et demi et perdu 258 calories à un rythme de sénateur.

L'eau est chaude et enveloppante. Je ferme les yeux et j'offre mon visage au ruissellement de la douche. J'oublie tout. J'aurais voulu que cet instant fût éternel.

Inutile de dire que je vis seul. J'ai trouvé un refuge dans un deux-pièces situé rue Richer, dans le IXe arrondissement. C'est mon abri. J'ai pu l'acheter grâce à l'argent du livre pour le célèbre médecin. Je vois bien que les rares filles qui entrent chez moi trouvent bizarre mon lit à une place. Les relations ne durent jamais longtemps – je compare toujours à Nadia, et aucune réalité ne peut faire face à un fantasme, je le sais bien, mais je suis incapable d'abandonner l'idée de la retrouver.

J'ai mes habitudes dans un périmètre de 500 ou 600 mètres aux alentours de la rue Richer, pas plus, parce que quand je quitte le quartier je sens comme une insécurité psychologique, un malaise. Je cherche un endroit où m'ancrer. Un territoire à moi.

On frappe à ma porte. Deux coups secs, un silence, puis un nouveau coup sec. Il n'y a qu'une personne qui peut débarquer sans prévenir et connaît le code de l'immeuble. Bizness. Il n'a pas changé sa façon de vivre depuis que nous sommes gamins. Il a le même âge que moi, mais il me semble que quelque chose de lui est resté scotché à l'enfance, comme à la cité Anne-Frank où nous avons vécu à Ozoir, en Seine-et-Marne, une ville de banlieue coupée en deux : d'un côté, le centre-ville bourgeois avec ses belles maisons, ses commerces, ses installations sportives, son cinéma, le collège ; et, de l'autre, notre cité HLM livrée à elle-même et éloignée de tout. Avec Bizness, nous habitions le même immeuble, au même étage, le deuxième.

Lui y retourne toujours, vogue de squat en chambre d'hôtel bon marché et, les bons jours, chez des amis qui lui cèdent un clic-clac – il n'en a jamais abusé. Il ne connaît pas les conventions des adultes : on prend rendez-vous quand on veut se voir, lui c'est quand ça lui chante. À chacune de nos rencontres, il a un plan à proposer pour se faire de l'argent. Le plus étonnant est que je ne l'ai jamais entendu prononcer le mot « argent » – il en connaît tous les synonymes, de la thune au pèze en passant par oseille, caillasse, capital (dans sa bouche, c'est assez drôle), frusquin, fraîche… Bizness ne brille pas par sa culture, mais dans le domaine économique il m'impressionne – je me demande s'il ne prend pas des cours en cachette. Il a des idées, mais sa générosité le pousse à les partager, le plus souvent avec moi parce qu'il sait que je ne le décourage pas. Il y voit une incitation à poursuivre.

Bizness est petit, maigre, roux. Personne n'a jamais su son vrai prénom, sauf les policiers, peut-être. De même qu'on ne sait pas précisément de quelle origine il est. Il en change au gré des interlocuteurs. Pour les filles des pavillons, il est grec – il a appris par cœur l'histoire et la géographie de la Grèce, connaît les moindres recoins d'un quartier d'Athènes où il est censé avoir vécu, promet, avec moult détails, des îles merveilleuses que personne n'a vues – lui non plus. Il est tellement convaincant que je finis par le croire, alors qu'il n'a jamais pris l'avion.

Malgré sa taille, il se courbe tout le temps, Bizness, pour parler aux gens, histoire de se faire encore plus petit. Ce qui le sauve, c'est son sourire accroché au visage. Bizness sourit tout le temps. Pour lui, la vie est simple, elle est faite de plans, et puis c'est tout. Il ne faut pas se prendre la tête – ce qui ne l'empêche pas de prendre celle des autres. Il a souvent ces formules à la bouche, « La vie, c'est théâtre », « La vie, c'est simple », et les déclame avec des airs de vieux sage qu'aucun événement dramatique ne peut toucher. Je ne sais jamais si les formules heureuses qui sortent spontanément de sa bouche viennent de lui ou sont piochées dans les livres qu'il lit – et il lit beaucoup, ça, j'en suis sûr.

Il s'assoit sur le bord de mon lit sans y être invité. Ce genre de conventions compliquent le quotidien, pense-t-il. Il ne faut pas se gêner, surtout avec les amis. « Bon voilà, j'ai un super plan à te proposer. On peut se faire pas mal de ferraille sans problème, tu marches ? » me dit-il. Il n'attend jamais ma réponse. J'ai juste le temps de lever la tête – il y lit un acquiescement. Ensuite, il se met debout pour expliquer son plan. Ah ! les explications, c'est son truc. Dans ce moment-là, ce qu'il peut être théâtral. Il use de tout son corps dégingandé, ses mains enveloppées de gourmettes en or, du moins dorées. Bizness parle avec les mains. Et les pieds, aussi. Un sourd-muet s'y perdrait. « Le plan ? ajoute-t-il car il fait les questions et les réponses. C'est facile, on va utiliser la Poste et Internet. On envoie des prospectus publicitaires et des mails avec marqué dessus "Faites-vous redresser les seins naturellement". On reçoit les chèques et on les encaisse. C'est simple, non ? » Il est plié de rire et visiblement content de son plan foireux.

Il a bien remarqué à mon regard qu'il a dû sauter quelques étapes. Il se reprend. « Dans le prospectus, on dit que c'est une recette miracle et sûre pour les femmes qui veulent se faire redresser les seins sans passer par la chirurgie. Aujourd'hui, il faut proposer "bio", le "nature", c'est tendance. Ne t'inquiète pas, on ne triche pas. On répondra à celles qui envoient un chèque. » J'ai émis une réserve en parlant de publicité mensongère, ce qui l'a énervé. « Ça va pas, non ? Pourquoi mensongère ? » Pour expliquer sa méthode miracle, il se met à quatre pattes. « C'est ça le truc, me dit-il. Pour vous faire redresser les seins, marchez à quatre pattes ! C'est simple, non ? »

Je n'en pouvais plus d'entendre « C'est simple, non ? ». Bizness a l'art du raccourci. En vérité, avec lui rien n'est simple, rien n'est clair. Il m'a embarqué dans bien des galères – et j'ai pas mal payé.

Bizness est l'un de mes rares amis d'enfance que je continue de voir. Le fossé s'est creusé avec les autres – le plus souvent, ils viennent me demander de l'argent. Comme si la cité Anne-Frank obligeait à cette solidarité – mais elle est toujours à sens unique, j'ai fini par me lasser.

De même que je me fais de moins en moins à l'idée de les entendre dire que j'ai eu de la chance. Est-ce si difficile pour eux de me reconnaître un peu de mérite ? Pendant mes cinq années à l'université, j'ai travaillé jusqu'à quatre heures par jour, des jobs plus ou moins intéressants. Et c'est d'ailleurs à la fac que j'ai commencé à écrire pour les autres. J'avais sauvé le master d'un copain en lui rédigeant son mémoire. Ses parents l'ont su. Ils m'ont donné 400 €, j'ai refusé trois fois, comme me l'a conseillé ma mère (« Tu dis trois fois *Non, merci* avant de dire *Oui* ») et j'ai accepté, trop heureux d'empocher une telle somme si vite. Je n'en revenais pas.

Ce n'est pas rien, ces études. Ma mère s'est démenée pour que je ne lâche pas. Sans savoir parler le français, elle a réussi à me faire décrocher des bourses sur « critère social » – moi, je n'osais pas entreprendre une telle démarche. Où est la chance dans cette histoire ? Je trouve plus de reconnaissance chez des inconnus qui s'étonnent de mon parcours que chez mes amis d'enfance. Je crois que cela me blesse plus que je ne le pense.

« T'as réussi. T'as un appart' à Paris. Tu dois nous aider. C'est la loi de la cité. » C'est ce que je dois comprendre, et je me demande qui a bien pu dicter cette loi.

J'ai surtout compris que, quand on sort de la galère, ce sont parfois vos proches qui vous en veulent le plus, quand ils ne vous tirent pas par les pieds pour vous ramener vers le fond.

Je m'en rends compte : il y avait chez beaucoup de mes amis cette peur de perdre le peu qu'on avait. Alors, il était difficile de tenter quelque chose – chercher un boulot, passer un examen, oser aller au-delà de la cité. Échouer, c'était ajouter la honte à la honte. Et personne ne vous pardonnait cette audace. Ce que l'on pouvait être méchants avec ceux qui essayaient et perdaient. On les couvrait de rires. Leur défaite nous rassurait. Plus tard, j'ai appris qu'ailleurs ce n'était pas bien différent : le succès des uns ne fait pas le bonheur des autres.

À la vérité, notre misère était le seul pays que l'on connaissait, et notre confort. Je me suis disputé avec certains des rieurs, qui objectaient que tout ça – ces idées que l'on pouvait changer notre sort – ne servait à rien, puis ils égrenaient mille exemples d'échecs.

Pour s'en sortir, il fallait fuir.

Je marche avec Bizness rue des Martyrs, on doit aller à Barbès, on coupera par l'avenue Trudaine. Il a un « truc important » à chercher, « y a moyen de se faire un peu de caillasse ». Bizness connaît par cœur les rues de Paris même s'il n'y a jamais habité. Il rêve de vivre à Montmartre, « rue Junot ou Caulaincourt, ce serait trop classe ». Déjà, plus jeune, on l'appelait le Lorànt Deutsch de la cité Anne-Frank. Aucun quartier parisien n'a de secret pour lui, mais c'est surtout pour dénicher des repas pas chers ou prendre des raccourcis. « Parce que ne comptez pas sur moi pour savoir si Charlemagne avait un duplex rue Charlemagne ou dans quelle équipe jouait Montaigne », nous prévenait-il. Il m'avait sidéré quand on était au collège – il ne le fréquentait pas assidûment. On était en quatrième. Après un cours d'histoire, je lui avais demandé : « Rassure-moi, tu sais qui est Anne Frank ? » Il m'avait alors fait cette réponse d'anthologie : « T'es marrant, toi ! Si tu me dis pas le nom de famille, je peux pas deviner. »

Il s'est rattrapé depuis et voue une passion à l'histoire, même s'il préfère l'anecdote à la grande analyse.

On ne dit rien en marchant. Je suis en train de penser à je ne sais quoi, et le rouquin sait que dans ce moment-là il faut laisser couler le temps. On se sent heureux de traîner sans croire à rien. J'ai les mains dans mes poches et la démarche rapide ; mon copain a les mains qui se balancent le long de son corps dégingandé comme s'il entamait une danse bizarre et qu'il cherchait à toucher le sol tout en sautillant.

À un moment, l'idée de lui parler de Nadia me traverse l'esprit. Avec tous les gens qu'il connaît, Bizness peut peut-être m'aider. Il a su garder un lien avec notre passé. Il appréciait Nadia – il pensait qu'elle et moi c'était évident. J'ai un peu peur de l'embêter avec mon histoire, il a d'autres chats à fouetter.

Bizness ne tient jamais un silence bien longtemps. Il me dit : « Tu la connais, l'histoire des deux juifs ashkénazes ? » – il possède un catalogue de blagues impressionnant et a un penchant pour l'humour juif, qui colle bien à son optimisme désespéré. J'ai entendu sa blague une trentaine de fois, mais je ne veux pas lui enlever le plaisir de raconter – il adore ça, il aurait pu en faire carrière. Je lui dis que non, et il m'a à peine entendu qu'il embraye : « Deux amis juifs marchent dans une rue déserte, ils sont ashkénazes, un peu inquiets, tu vois. Devant eux, à une centaine de mètres, ils remarquent deux personnes qui viennent dans leur direction. Le premier juif, le plus tourmenté, s'angoisse et dit : "Regarde, ils sont deux et nous sommes seuls." » Je souris même si je la connais par cœur, mais elle provoque toujours quelque chose en moi, cette histoire. Bizness s'esclaffe, content, il répète : « Regarde, ils sont deux et nous sommes seuls, alors qu'ils sont deux aussi. » C'est sa spécialité : répéter les blagues et les expliquer.

J'ai eu envie de lui dire : « Nous sommes deux, Bizness, et nous sommes seuls », mais je me suis retenu.

LE PHILOSOPHE

On a un rituel avec le Philosophe. Je paye deux cafés au comptoir du Longchamp, le bar-tabac-PMU de la rue du Faubourg-Montmartre, un pour moi et un pour lui qu'il peut prendre à sa guise, que je sois là ou pas. Comme d'autres, je n'ai jamais su son véritable prénom ni son nom. Quand j'ose lui poser la question, il dit que ça n'a aucune espèce d'importance. J'imagine bien un prénom comme Jean, Matthieu ou Paul, quelqu'un qui aurait son Évangile, je ne saurais dire pourquoi.

Il faut que je me résolve à ne pas en savoir plus sur lui. C'est là son secret, sa fêlure profonde. Je sais qu'elle ne se refermera jamais, que c'est tout ce qu'il possède et garde en lui comme un trésor – dérisoire trésor. Je me sens frère de cet homme sans connaître grand-chose de son histoire. Ce qui m'intéresse, c'est ce que je ne sais pas de lui. Ce qu'on ne se dit pas n'est-il pas aussi important que les mots échangés ?

Avec Nadia, on ne se parlait pas beaucoup. Marcher à côté d'elle me comblait. À nous voir, on pouvait ressembler à un couple.

Je sens que le Philosophe est fier de sa barbe blanche. Il la lisse souvent de sa main gauche. Il en prend soin malgré le manque de moyens. Je sens aussi qu'il aime bien discuter avec moi. Ce sont des moments où il oublie sa situation, sa condition. On ne l'évoque jamais, mais je sais qu'il vit dans une cave aménagée dans un immeuble de la rue Richer, près des Folies Bergère. Il m'arrive de le croiser. Les propriétaires ne lui disent rien. Lui s'y sent bien. Sa seule hantise est un changement de propriétaire. Il a peur que le nouvel arrivant fasse du zèle et veuille effectuer un « nettoyage » auprès de la copropriété et entamer une procédure d'expulsion pour obtenir cette cave que personne n'a jamais réclamée. Douze mètres carrés en sous-sol, ça rend dingue à Paris. Cela dure depuis plus de vingt ans – c'est lui la mémoire de la rue. Le Philosophe a sa clé et personne ne l'a embêté. Comme une sorte de contrepartie qu'aucun voisin n'a demandée, il réalise de petits travaux de rénovation, change les ampoules défectueuses ou réagit en premier quand il y a un dégât des eaux. Il m'a confié qu'il a été régisseur pour des hôtels de luxe – mais à part cela, il n'évoque jamais son passé.

Un jour, un nouveau propriétaire qui venait d'acquérir son troisième appartement a cru bon de tenter d'expulser le Philosophe. Mal lui en a pris – il s'est mis à dos toute la copropriété et n'a pas osé recommencer. Il a gratifié les copropriétaires d'un courrier truffé de fautes indiquant que, au vu du prix du mètre carré, ils étaient des « inconscients », des « bobos filantropes » et qu'ils s'étaient « fait bien entuber par un vieux fénéant ».

Le Philosophe ne jure que par Jean-Jacques Rousseau.

J'en apprends beaucoup à son contact et j'avoue que ses conversations constituent des moments de grâce. On peut parler durant dix minutes comme pendant deux heures.

C'est lui qui entame la conversation, quand il en a envie. Je me contente d'écouter.

Je lui ai parfois demandé si ce qu'il me conte à propos de Rousseau sont ses idées ou s'il les a lues quelque part. Il est un peu théâtral et me lance de sa voix de stentor : « Bien sûr, les petites pensées que l'on croyait personnelles s'effacent bien vite devant les travaux immenses de messieurs Burgelin, Baczko, Starobinski et d'autres... Et l'on est content lorsque parfois on saisit une idée qui après tout n'a été évoquée qu'il y a... un siècle. »

Il la joue modeste, mais il aime bien m'en imposer. Il m'arrive de noter des noms ou des idées après nos conversations. Je vérifie chez moi. Je suis à chaque fois impressionné.

Je n'ai pas commandé les cafés que le Philosophe m'aperçoit et me lance : « Le premier sentiment de l'homme fut celui de son existence. » C'est sa manière à lui de me saluer.

Je lui réponds bonjour en payant deux cafés. Il continue, sans me remercier, sinon peut-être d'un clin d'œil ou d'un salut de la main qui veut dire et bonjour et merci. « Ainsi Jean-Jacques Rousseau énonce l'importance du sentiment d'existence : sentiment premier de l'homme », me dit-il comme si l'on se trouvait dans un amphithéâtre. Je ne peux décidément pas l'arrêter. Rafik, qui possède le bistrot avec ses trois frères, sourit comme pour se moquer de moi et pour me signifier que je l'ai bien cherché.

Le Philosophe ne fait attention à rien. Il déroule son discours. Je suis son seul élève, et ça lui suffit bien. « Quelle est l'origine de l'inégalité parmi les hommes ? Est-elle autorisée par la loi naturelle ? » Je ne comprends pas, mais il n'en a cure. Il poursuit.

« En schématisant le discours de Rousseau, m'explique-t-il, voyant bien que j'ai du mal à suivre, on pourrait donner cette réponse : l'origine de l'inégalité, c'est la propriété, établie et maintenue par la société. L'inégalité est réprouvée par la loi naturelle, car les hommes, à l'état de nature, sont égaux, isolés et bons ; c'est la vie sociale qui les a corrompus. »

Ça, j'ai déjà entendu. Je me permets de l'interrompre pour lui dire que cette théorie est rabâchée. Ça pique son orgueil. Il me rétorque qu'il n'a pas fini son argumentation et qu'il n'a jamais aimé les lieux communs. Et là, il me balance, comme si j'étais titulaire d'une agrégation : « Le principe que Rousseau tire de la différence entre la nature et la société est lié directement à l'idée qu'il a du sentiment d'existence : le sauvage vit en lui-même ; l'homme sociable, toujours hors de lui, ne sait que vivre dans l'opinion des autres. C'est pour ainsi dire de leur seul jugement qu'il tire le sentiment de sa propre existence. » Il aurait pu ajouter : « Et prends ça dans la figure ! » Il est visiblement content de son effet. Pour écouter aussi, Rafik s'est arrêté de servir, faisant patienter un client qui réclame une recharge de cigarette électronique « Fraise sauvage Pulp ».

Je dis au Philosophe que ça m'intéresse beaucoup mais

que je dois partir. On reprendra cette conversation jeudi ou vendredi prochain. Il me salue d'une main levée vers le ciel, comme à chaque fois. Il ne me semble pas déçu.

J'avoue que sa compagnie me plaît. Je m'attache à lui comme à un frère que je n'ai pas. Ou à un père.

LEÏLA LA NUIT

Pour ma première mission, l'équipe du professeur Spak a cru bien faire en me confiant une rencontre avec une jeune femme qui habite le quartier de ma jeunesse. L'idée ne m'a pas plu – j'éprouve un malaise à y retourner, mais la démarche était engagée avec le centre social de la cité Anne-Frank, c'est trop tard pour refuser.

J'ai rendez-vous avec Leïla. Vingt-six ans, sans boulot, pas de formation connue, traîne de foyer en foyer, retourne souvent dans sa cité même si elle n'a pas d'hébergement – elle aime bien se retrouver là où elle habitait, dans le hall de son ancien immeuble, au 4 rue Jean-Moulin. On m'a dit qu'elle est malade d'avoir coupé avec sa famille. Cela fait dix années maintenant. Elle est réputée pour son agressivité. Peut-être que je pourrais l'aider à écrire son histoire chaotique, à se reconstruire un peu.

J'ai juste peur qu'elle ait connu Nadia.

Leïla a les yeux charbonneux surlignés par un khôl qui lui donne un air de dure. Longs cheveux noirs bouclés qui lui tombent sur les épaules, regard de défi, elle veut m'impressionner, mais je connais ce genre de comportement, je fais face sans agressivité, avec douceur, je ne baisse pas mon regard et cela la désarçonne.

Très vite, elle me parle de sa mère. Elle lance dans un flux de paroles, comme si elle m'attendait : « Leïla, ça veut dire la nuit. Je ne sais pas pourquoi ma mère m'a donné ce prénom, Leïla la nuit. Je ne lui ai jamais demandé. Je suis née d'une femme blessée à vie. Et si tu crois qu'il suffit de tendre la main. Si tu crois que tout m'a été donné. Que tout m'a été accessible. Qu'il suffit de pointer le doigt pour tout avoir. Tout ce que j'ai, je l'ai pris. Comme une voleuse, peut-être. Parfois en courbant le dos. Et de mes yeux noirs fixer leurs regards supérieurs. L'humiliation. Mais la tête haute, tu vois. Je te parle d'honneur, jamais de bonheur. Ça, c'est pour les autres filles, celles aux cheveux blonds soyeux et lisses. Tu les aimes, ces filles ? Elles sont douces, hein ? Je n'ai pas de haine, tu sais. Pas toujours. J'ai trahi mon destin en ôtant mon voile. Mais j'ai choisi. Choisi. Tu comprends ? Si tu crois que c'est facile. Qu'il suffit de tendre la main. Je l'ai tendue, parfois. Reçu des coups. Des vrais. Je ne le dis pas. Jamais cru aux coups de main. Question d'habitude, la méfiance est ma meilleure amie. J'ai fui une guerre qui ne dit pas son nom : "une guerre civile", morte de rire l'oxymore. Et si mon père est parti, c'est qu'il avait des chantiers à mener, des maisons à bâtir pour les autres. Et moi d'autres batailles. Je suis née une nuit d'hiver. J'ai survécu à toutes mes blessures. Même celles qu'on ne voit pas. La preuve : je suis vivante. Et si j'en garde la trace, les cicatrices, c'est pour ne pas oublier. Jamais. Je suis née d'une histoire sans amour. J'ai fait face au mépris. Ou pire que le mépris, à l'indifférence. J'ai fait face en souriant. Ou dans le silence. Dans l'absence. Si tu crois qu'il suffit de tendre la main. Je suis née la nuit. »

Leïla n'arrête pas de parler. J'ai du mal à la suivre. Je ne comprends rien à son histoire. Elle psalmodie. Je lui propose de nous asseoir. Je lui demande si elle a pensé à écrire ce qu'elle vient de me dire. La question l'étonne. On en vient à la poésie. Elle me dit qu'elle adore ça, mais elle n'a personne à qui confier ses mots, les autres se moquent d'elle. Elle me dit – je la vouvoie, elle me tutoie – « Tu sais, souvent je préfère le son au sens, et cela donne n'importe quoi, mais je m'en fiche. »

Entre deux logorrhées, Leïla me dit qu'elle m'a déjà vu ici quand elle était petite. Y a des années, elle a croisé Nadia qui travaillait pour le centre social, c'est la seule fois où elle s'est sentie vraiment comprise. C'est la meilleure animatrice qu'elle ait jamais vue, et elle en a vu, des animatrices et des éducateurs. Elle aurait voulu la revoir plus souvent. Je comprends pourquoi Leïla devait apprécier Nadia : elle ne jugeait pas, elle se contentait d'être présente, et cela soulageait sans doute Leïla de la fureur du monde.

Avec Nadia, on avait passé le brevet d'aptitude à la fonction d'animateur, le BAFA. On s'était retrouvés ensemble dans un centre de vacances à Fontainebleau. Elle avait pris à cœur ce stage pratique qui validait le diplôme – moi, c'était pour être avec elle. Ce BAFA nous permettait de trouver un travail à temps partiel dans les centres de loisirs et les cantines des écoles. Nadia avait bluffé tout le monde durant le stage, les formateurs et les autres animateurs – sans chercher à épater, sans faire de bruit, juste avec sa présence. C'était la seule qui avait réussi à monter un projet avec huit ados impossibles – les « cassos », qu'ils s'appelaient entre eux. Elle les avait fait monter sur la petite scène du centre. Le spectacle a duré dix minutes entre sketchs et chansons. La maladresse de ces gamins qui tentaient de se remémorer un court texte ajoutait à l'émotion. Les huit ados étaient applaudis par toute l'assistance, les adultes et les enfants étonnés. À la fin, gonflés de reconnaissance, ils se sont précipités dans les bras de Nadia comme si elle était la grande sœur qu'ils auraient rêvé d'avoir.

Je pensais à tout ça quand Leïla, en un dixième de seconde, est passée d'une voix douce à une agressivité démentielle. Elle me lance, avec le regard chargé, ces mots qui me chamboulent : « On sait tous que tu l'as laissée tomber, Nadia, pour voir le beau monde, à Paris. On pue, nous, c'est ça ? Tu ne le sais peut-être pas, mais elle en est devenue malade. Malade de chagrin. Nadia, c'était comme ma grande sœur. Tu l'as cassée, en allant avec cette blonde aux cheveux soyeux, cette Anne. Une bourge. Tu as fait du mal. Tu as trahi. Tout le monde le dit, ici. »

Anne. Je l'ai rencontrée lors de ma deuxième année à la fac de Nanterre. Cela faisait déjà des mois et des mois que je n'avais plus de nouvelles de Nadia malgré mes lettres envoyées chez ses parents – la seule adresse que j'avais d'elle. Je leur ai même laissé un message téléphonique. Aucune réponse. Aucun écho. Le vide. Je n'ai pas voulu insister. Elle a arrêté ses études à la fin de la première année et m'a juste dit qu'elle voulait abandonner les lettres pour travailler dans le social, c'est ça qui l'intéressait, elle se sentirait plus utile. Je pensais qu'on resterait liés. Je lui en ai un peu voulu car elle me laissait seul.

J'ai longtemps pensé que Nadia avait tracé son chemin sans moi, que je la dérangeais dans sa nouvelle existence. Et je me souviens que, elle comme moi, on détestait déranger – c'est un sentiment étrange et fort qui nous unissait ; cette peur de devenir un intrus ne m'a jamais quitté.

La première fois que j'ai vu Anne, c'était en amphi, le professeur débitait un cours intéressant qu'il avait intitulé « Le choix du conjoint comme phénomène sociologique » et affirmait, en gros, que le choix du mari ou de la femme était corrélé au statut social plus qu'aux sentiments. On le savait, bien sûr, mais l'étude s'appuyait sur des statistiques. J'étais au fond de l'amphi, et Anne était arrivée en retard d'une dizaine de minutes et n'avait pas d'autre choix que de s'asseoir à côté de moi. J'ai tout de suite remarqué sa douceur. Et sa voix chaude n'a fait que m'attirer davantage, surtout quand elle a dit : « C'est désespérant, il n'y a pas de sentiments, même en amour. »

Elle venait de Bordeaux. Et, c'est vrai, elle était blonde, les cheveux soyeux et lisses, un regard où se lisait la bienveillance. Elle portait en elle une aisance de classe – le choix de ses habits, les chaussures, des bijoux sans ostentation, cette élégance faussement négligée, naturelle. Tout parle de nous. Et Anne venait d'une grande famille du Bordelais, son père possédait une maison de négoce qui employait une cinquantaine de personnes et il était adjoint au maire de Lesparre-Médoc, 5 000 habitants. Mais, tout le temps que je l'ai connue, Anne n'a jamais montré quelque suffisance ni fait preuve de cette arrogance qui peut se glisser dans un petit geste ou un mot. C'est même moi qui ai commis une bourde d'ignorant. Je me souviens de sa tristesse à la mort de son chien – elle l'avait adopté quand elle avait dix ans et elle l'aimait. Moi, croyant la consoler, je lui ai dit : « Ce n'est pas grave, tu peux en acheter un autre... » J'ai vu à son regard l'ampleur de ma bêtise et ma méconnaissance du lien que les gens peuvent avoir avec un animal. Chez nous, on ne donnait pas de nom aux bêtes.

Contrairement à ce que pense Leïla, il ne s'est jamais rien passé entre Anne et moi, sinon une amitié naissante qui n'a pas résisté à l'éloignement. Quand je l'ai rencontrée, elle avait un projet de mariage avec le directeur général de l'entreprise de son père – et sans doute son successeur. J'avais compris que sa fêlure était là : plaire à son père et tenter de fuir un destin doré dans lequel elle ne se sentait pas à l'aise. Je sais qu'elle est devenue professeur d'histoire à l'université d'Aix-en-Provence, qu'elle a finalement épousé un grand reporter de guerre qui couvre le Moyen-Orient et a obtenu le prix Albert-Londres. Elle a deux enfants.

Avec Leïla, c'est la première fois que je vois une personne qui a l'air de bien connaître Nadia. Je ne sais pas si Leïla délire, mais comment peut-elle savoir tout cela, comment peut-elle connaître Anne ? Nadia s'est-elle confiée ? Ont-elles parlé de moi ? J'ai du mal à l'imaginer, mais je suis bouleversé. Je ne sais plus où j'en suis.

Leïla m'apprend que Nadia était revenue dans le centre social de la cité Anne-Frank pour aider « les petits frères et les petites sœurs » du quartier. Elle avait mis en place une activité de soutien scolaire pour les enfants de l'école primaire et premières années de collège. Les professeurs avaient salué cette initiative. Nadia s'était impliquée comme elle savait le faire. « Elle ne nous a pas abandonnés, elle », m'a lancé Leïla. J'ai trouvé ses mots injustes. J'ai toujours dans mon sac trois ou quatre livres. Je sors deux recueils de poèmes pour les lui laisser : *Pauvres fleurs* de Marceline Desbordes-Valmore et *Le roman inachevé* d'Aragon. Elle les prend sans me remercier. Je suis amer et j'ai juste dit à Leïla : « Ça pourrait te parler. »

Le soir, je suis rentré chez moi, un peu sonné par cette rencontre et les propos acides de Leïla. Quand j'ai essayé de me rappeler ses paroles, je n'ai retrouvé qu'un cri que je n'ai pas su entendre, un cri qu'elle voulait lancer dans le vacarme du monde. Que pouvais-je faire ? J'aurais voulu lui arracher toute la poésie qu'elle nourrit en elle, malgré elle. A-t-elle une histoire à écrire ? Oh ! Sûrement.

CETTE EXTRAVAGANTE PUDEUR

Je retrouve mon quartier, celui où je me sens bien, dans le IXe. J'aime à m'arrêter au café La Comète, rue de la Grange-Batelière, pour laisser passer le temps entouré de monde, l'idéal pour m'isoler et travailler. Les paroles de Leïla sont ancrées dans mon esprit. J'ai du mal à passer à autre chose.

Je pense encore à Nadia. J'aurais voulu lui parler et je l'imagine tout près, dans ce bistrot, nous deux serrés comme ce couple devant moi que je regarde et qui m'ignore. J'ai la boule au ventre parce que s'affiche l'image du bonheur, avec cette femme et cet homme qui s'embrassent sans prêter attention à la ronde des existences.

Je m'imagine parler à celle à qui je n'ai jamais su parler. À quoi ça sert d'aimer si on ne l'exprime pas ?

Nadia, pourquoi te mentir par pudeur et cette extravagante retenue ? Tous ces mots oubliés alors que tous mes gestes... Ne pas te dire à chaque instant que je vis que je respire que je ressens encore et à chaque fois. Ne pas prononcer ces mots qui me brûlent les lèvres et citer ton prénom comme une prière. Par cœur.

54

Pourquoi chercher à expliquer ce qui ne peut qu'être et tenter de savoir comment l'on revient toujours à la même personne ? Et ton prénom. Nadia. Et ton visage. Savoir d'où les gens viennent et où ils vont ne m'importe pas, ou si peu.

Tu serais là. Avec ton histoire. Et ton sourire. Tes incertitudes. Et cette musique douce faite de verbes. Écouter. Parler. Peut-être. Essayer de comprendre, simplement. Tu n'es pas là. Pourquoi te mentir par omission ? Et tous ces mots oubliés alors que tous mes gestes ne parlent que de toi. Ne pas te dire à chaque instant que je vis que je respire que je ressens. Que je...

Le couple à côté de moi s'apprête à partir. Leurs rires sans retenue me ramènent à la réalité. Visiblement ils s'aiment et ils se le disent, avec les yeux, avec les mains, avec la bouche. Avec des mots chuchotés à l'oreille et des sourires complices. Ma douleur se fait plus vive.

J'ai envie de crier « Nadia ».

MOUSSA ET LE DERNIER TRAIN

Toujours à la demande de l'équipe de Jean-Patrick Spak, je me rends chez Tout autre chose, rue Milton. Cette association a pour but de tenter de développer « le lien social de proximité, ainsi que l'écoute et l'accompagnement des personnes en difficulté ». On peut prendre un café et laisser un euro ou deux pour que quelqu'un d'autre puisse en prendre un.

On m'a parlé de Moussa, un homme de la rue. Je peux peut-être l'aider avec, c'est un membre de cette association qui a usé de cette expression, « une sorte de thérapie par l'écrit ». On m'a prévenu avant de le rencontrer, on m'a dit : « Il est un peu spécial, il est dans son monde. Il vit à la gare de l'Est. » C'est une gare que je connais bien, que j'ai longtemps fréquentée, à l'époque de Nadia. On attendait le dernier train pour rentrer chez nous, à Ozoir.

Le dernier train gare de l'Est – Ozoir-la-Ferrière partait à 1 h 13 et ça nous faisait rire, on l'appelait le train du malheur avec ce 13, et parce que malheur à celui qui le loupait, il devait attendre le petit matin, l'omnibus de 5 h 42, pour pouvoir rentrer chez lui. Le rater, c'était l'assurance de zoner autour de la gare où il n'y avait pas que des gens fréquentables. C'était un train qui avait toujours du retard – des petits malins tiraient la sonnette d'alarme pour que leurs copains qui couraient moins vite puissent l'attraper. Ce train transportait des passagers un peu bizarres et souvent soûls. Les contrôleurs l'évitaient. C'était le train du malheur mais il était gratuit.

La « spécialité » de Moussa est de repérer les derniers trains d'où qu'ils viennent et de les attendre. Ça lui fait de longues nuits, d'un quai à un autre. Mais c'est son but dans la vie. Attendre. Attendre quelque chose, ou quelqu'un, je pense. Il doit avoir mon âge, ou peut-être un peu plus jeune, autour de trente ans. Il me dit avec fierté qu'il est le fruit d'une Auvergnate et d'un Congolais de Pointe-Noire. Avec ses dreadlocks, on sent qu'il cultive une certaine ressemblance avec Bob Marley – Moussa ne jure que par le reggae.

Il me raconte pourquoi il a toujours le regard égaré sur le quai de cette gare. C'est à cause de l'espoir déchiré par une vieille histoire, me dit-il sans plus de précisions. J'imagine tout de suite un récit avec une femme, mais il reste mystérieux tout en chuchotant un « C'est possible… », expression qu'il utilise souvent. Je ne veux pas insister, je lui dis juste « Je comprends » sans rien ajouter. Et il me semble qu'il comprend de quoi je parle et à qui je pense.

J'ai l'impression que Moussa en rajoute un peu dans son côté mystérieux, mais c'est tout ce qu'il possède, ce mystère à lui, et personne ne pourrait le lui voler.

Ce soir, une pluie battante tombe dans la nuit déserte. Au bout du soir, les interdictions de fumer tombent, des mégots mouillés gisent sous une lumière offerte. Les grands murs sont étouffés par des graffitis imbéciles. L'horloge sans vie poursuit son mouvement fragile. Moussa attend. Tous ces chemins de fer emmêlés me semblent ne mener nulle part, mais pour lui ils ont tous une direction précise, une signification, « un sens », tient-il à souligner : celui-là vient de Strasbourg, un autre de Nancy, un autre d'Allemagne... À force, il repère même les abonnés, salue quelques-uns, connaît des bouts d'existence. Pour Moussa, chaque dernier train est comme un dernier espoir. Mais à chaque fois le constat évident et vide : elle ne viendra pas. Je suis resté avec lui dans cet espace devenu trop grand qui bourdonne d'effroi. Moussa trépigne. Il met dans chaque arrivée une telle espérance que je me mets à y croire aussi. Plus la nuit avance, plus l'espoir recule, mais il a une détermination qui force le respect. Vers deux heures moins le quart, je cherche une porte de sortie à ses vaines attentes. Un café pas encore fermé, histoire de parler d'autre chose et de ne plus penser à cette femme qui ne viendra pas. Un peu de chaleur que je veux partager avec lui. On a en commun de se souvenir d'une rencontre et de se sentir paumés. Je l'ai évoquée comme ça, cette idée qu'on avait tous un mystère, une fêlure qu'on porte en soi, que c'est parfois bien d'en causer, d'écrire, de mettre des mots sur une histoire. Je n'ai pas voulu trop insister. Il m'a jeté à nouveau « C'est possible... ». Moussa veut attendre encore dix minutes, dix minutes, pas une de plus, me dit-il. Je ne veux pas le contrarier pour ne pas froisser son orgueil. Il faut être délicat avec les blessures narcissiques.

J'avais vingt-quatre ans. Je me trouvais à la gare de l'Est. J'entends alors la voix d'un mendiant qui réclame un euro, un ticket de métro ou un ticket resto « si c'est mon jour de chance ».

Cette voix... Cette voix... je parierais, mais... Voilà que le mendiant me tape sur l'épaule. Je ne le vois pas. Il lance à nouveau sa rengaine, un euro, un ticket de métro ou un ticket resto « si c'est mon jour de chance ». Il ajoute : « Vous pouvez me dépanner ? On m'a volé mon portefeuille et je dois rentrer à Reims. Il me manque deux euros. » Je me retourne. Et instinctivement je crie « Paulo ? ».

C'était Paul. Il a les yeux rouges de fatigue ou d'autre chose. Ses cheveux sont sales, ses vêtements aussi. Mais son visage est celui que j'ai connu, avec sa cicatrice sur le menton qu'il s'était faite en sautant du deuxième étage, un été où sa mère l'avait puni. On était en primaire ensemble, puis une partie du collège qu'il a quitté en quatrième. Je l'avais perdu de vue. Sa mère était partie de la cité Anne-Frank pour tenter de s'en sortir, elle n'en pouvait plus de voir les huissiers débarquer chez elle « à cause de son mec qui s'était barré », nous confiait Paulo qui devait avoir quatorze ans à l'époque.

Je crie à nouveau « Paulo ? Paulo ? », mais il est comme désœuvré. Lui qui possédait un sens de la tchatche incroyable avec sa voix nasillarde ne dit rien. C'était le roi de la repartie. Il me pousse brutalement avec ses mains : « Mais ça va pas, non ? D'où on se connaît ? » Et il s'en va en courant.

Je ne l'ai plus jamais revu, Paulo.

MONIQUE

Jean-Patrick Spak connaît Monique depuis des années.
«Une belle personne», qui pourrait m'aider à mieux
comprendre ceux qui sont au plus près des gens de la
rue. Je confie à JPS que cela m'intéresse doublement,
parce que je recherche une amie que j'ai perdue de vue
depuis seize ans et qui travaillerait dans le milieu associatif. Il me dit : «Ah! Vous plongez dans le passé! Ce
n'est pas anodin, ça. Demandez-vous ce que vous y cherchez vraiment.» Ces paroles sont restées mystérieuses
pour moi.

Monique a rejoint les Restos du Cœur dès le début.
Elle a fait à peu près tous les métiers au sein de l'association. Je n'ai pas eu à insister pour la rencontrer. Elle
me fait confiance d'emblée, et Jean-Patrick lui a parlé de
moi. Elle me donne rendez-vous au siège social, à Paris,
c'est plus pratique pour moi, me dit-elle, car elle habite
loin, en banlieue.

J'arrive rue de Clichy. Je suis étonné : l'immeuble est
tout beau tout neuf – on dirait une agence de publi-

cité. Je n'imagine pas qu'une association caritative puisse être installée dans un endroit aussi chic, comme s'il fallait se montrer pauvre pour aider les pauvres. Le siège social des Restos ressemble à n'importe quelle entreprise dynamique. Le sourire de Coluche avec le slogan « On compte sur vous » s'affiche à l'accueil.

Monique m'invite dans une salle de réunion ordinaire, impersonnelle. Mais il y a quelque chose d'immense que je ne retrouverai nulle part. Tout me semble doux chez cette femme, et son visage et ses mots. Et si, à cet instant, on m'avait demandé quelle était l'image de la sainteté, je l'aurais désignée. Le monde tourne à peu près grâce à des êtres comme elle.

Je ne sais pourquoi, sans doute pour la rassurer, comme si elle en avait besoin, dès le début de notre conversation je lui dis que ma mère a été aidée par le Secours populaire. Elle me répond : « On m'a parlé du travail que vous faites, j'ai confiance en vous. »

On discute du milieu associatif d'une manière générale. Je me mets à bégayer, ne sachant pas aligner deux mots, et je m'entends affirmer avec si peu d'assurance qu'elle en sourit : « Donc voilà, c'est un peu tout ça pour montrer que, oui, c'est un peu tout ça... il y a... il y a... un milieu associatif extraordinaire. Très, très développé, euh, grâce à qui, sans doute... sinon, il y aurait une armée de démunis qui... » Elle m'interrompt pour me tirer d'affaire : « Oui, les associations caritatives sont très développées en France. Sans leur existence, il y aurait probablement plus de révoltes. On fait une part du travail des pouvoirs publics, même si l'État apporte une contribution importante avec les aides sociales. » C'est bien traduit.

J'arrive avec une petite série de questions. Je veux savoir comment elle est entrée aux Restos. Sa vie m'intéresse.

Elle me dit qu'elle va essayer de me répondre, et je sais que ce genre de relations basées sur le jeu des questions-réponses n'est pas idéal – l'un demande à l'autre de se dévoiler, sans réciprocité. Malgré sa gentillesse et sa confiance, je ne la sens pas à l'aise, comme intimidée. Cette fois, c'est elle qui bégaie. « Non, non, ben, je vais essayer de vous répondre. Alors... euh, moi, je terminais ma... je terminais ma carrière – "carrière" entre guillemets – dans une société de statut privé, mais du groupe de la Caisse des dépôts... » Les débuts sont hésitants. On sourit.

Je crois que Monique a plus de soixante-dix ans – je ne connais pas son âge exact –, mais son énergie fait qu'elle paraît beaucoup plus jeune. Petit bout de femme blonde, elle affiche en permanence le sourire des timides.

Elle a passé vingt-sept ans à la Caisse des dépôts, elle a acquis une grande expérience en matière de droits sociaux. Elle a même eu la responsabilité d'un service qui s'appelait « le bureau des affaires sociales », ce qui est très utile aux Restos. Elle a eu à traiter de problèmes de sécurité sociale, d'allocations familiales, de retraite, de mutuelle, de garantie, etc. Après, elle a géré un autre service, dans le domaine immobilier. Cette expertise aussi est précieuse pour l'association. Comme si toute la vie professionnelle de Monique constituait une préparation à son entrée aux Restos du Cœur. Son humilité m'émeut. J'écris « elle a acquis une grande expérience » mais elle dit toujours, tout le long de notre conversation, « une certaine expérience ».

Les grandes entreprises demandaient déjà aux personnes âgées de cinquante-cinq ans de partir, avec un chèque plus ou moins généreux. « On coûtait trop cher, il fallait renouveler... », raconte-t-elle sans aigreur.

Mais elle se trouvait encore jeune et s'est dit que son expérience dans le social et dans l'immobilier pouvait profiter à une association. C'est comme cela, presque naturellement, qu'elle s'est lancée dans le bénévolat. Une ancienne collègue lui en a parlé. Avec elle, Monique a distribué des potages et des repas froids à des personnes sans domicile sur le parvis de l'église Saint-Eustache. « J'ai commencé comme ça, tous les soirs je distribuais la soupe... Et puis un jour j'ai été débauchée par les Restos du Cœur », dit-elle en riant. Oui, l'association fonctionne comme une entreprise – je le constaterai souvent –, c'est même une machine redoutablement efficace. Les Restos avaient besoin de Monique pour la responsabilité d'un centre de distribution alimentaire, ils se sont tournés vers elle. Elle a beaucoup hésité avant d'accepter. Au départ, on lui a expliqué que cette activité – bénévole – ne lui prendrait que quatre « petites » demi-journées par semaine...

Je prends des notes en écoutant Monique et je sais que quand elle dit, à propos des personnes avec lesquelles elle a travaillé à ses débuts, « ce sont des gens d'une humanité extraordinaire », il faut prendre les mots un à un et leur donner toute leur beauté originelle. Cela veut dire que ce sont des personnes qui, chaque jour, qu'il fasse beau ou qu'il pleuve, qu'elles soient de bonne ou de mauvaise humeur, étaient au rendez-vous pour les autres, des inconnus à qui la vie avait joué un sale tour.

Je ne sais ce qui guidait ces bénévoles – après tout, peut-être y a-t-il autant de motivations qu'il y a d'êtres qui décident de donner de leur temps et de leur énergie ? Je pense à l'expression « tendre la main » et c'est la première fois que je comprends son double sens : tend la main celui ou celle qui aide ou qui est aidé(e). Nous sommes dans le même bateau. Et parfois celui qui est aidé aide aussi, à sa manière. Un jour, Éric-Émile, un ami généreux qui est de toutes les initiatives, m'a dit : « On ne sait pas toujours qui aide qui. »

Monique tient à me souligner ceci : « Beaucoup connaissent les Restos du Cœur par l'aide alimentaire, mais, en réalité, depuis toujours on fait bien d'autres choses. » Elle évoque le slogan qui existait dès les premiers jours : « Les Relais du Cœur ». On parle de toutes sortes de soutiens. Mais aider les personnes vulnérables à retrouver leurs droits, voilà qui intéresse au plus haut point Monique. La paperasse, c'est moins spectaculaire, mais c'est tellement vital. Elle me dit : « Oui, l'alimentaire est important, mais aider les personnes pour faire en sorte qu'elles puissent retrouver une vie presque normale, si je puis dire, qu'elles n'aient plus besoin des Restos du Cœur, voilà qui est fondamental. » Au début, cet aspect de l'aide était embryonnaire, comme s'il fallait assurer les urgences ; ensuite c'est devenu indispensable.

« Une vie presque normale », combien de fois vais-je entendre ce vœu ?

J'essaie de comprendre, en posant des questions. À quel moment le funambule ne tient plus sur le fil ténu de la vie et bascule ? Monique me répond que le grand facteur d'exclusion est la perte du toit. « On arrive toujours à trouver de la nourriture, mais quand on n'a plus de toit, on se retrouve à la rue, et ça devient dramatique. Les situations sont tragiques. » Le funambule perd son fil et ne peut plus remonter dessus. L'équilibre est presque définitivement rompu. Plus de chez-soi. Que sommes-nous sans un lieu où nous reposer, où nous retrouver, où accueillir ? Je vois des mendiants tenter désespérément de garder la même place chaque jour, un banc dans un métro, un bout de trottoir, une bouche d'aération – un lieu à eux, si dérisoire soit-il. Moi, j'ai toujours éprouvé le besoin de faire de mon deux-pièces un refuge ; j'ai toujours aimé les boîtes aux lettres, ces objets qui nous relient aux autres, à la société. Je lis les noms sur ces boîtes, j'observe ceux qui sont là depuis longtemps, ceux qui ont été ajoutés à la main.

Mes idées se bousculent. Je veux tout savoir. Et elle, Monique, pourquoi a-t-elle choisi de tendre la main, d'accompagner quand il est tellement plus agréable d'aller voir un film, de se promener ou de s'asseoir à la terrasse d'un café et regarder le temps passer ? Il y a tant de pourquoi dans ma tête. Je ne peux m'empêcher de penser qu'en posant des questions à Monique je cherche des réponses à mes propres interrogations. Je cherche Nadia.

J'envoie une rafale de questions, ce qui ne se fait pas lorsqu'on veut prendre le temps des confidences – mais je sais au fond de moi que c'est pour tenter de mieux comprendre Nadia, suivre son chemin. Je demande à Monique ce qui l'a poussée à entrer aux Restos du Cœur. Quelles étaient ses motivations ? Parce que après tout, à cinquante-cinq ans, on est encore jeune et au faîte de son expérience – on est au meilleur de soi –, pourquoi Monique n'est-elle pas devenue consultante, par exemple, afin de monnayer ses expertises et jouir d'une existence confortable ? Alors, elle me répond avec cette douceur infinie et cette détermination tranquille : « Parce que je voulais être utile. »

Elle m'explique qu'elle ne désirait ni poste dans une entreprise, ni devenir consultante, ça ne l'intéressait pas. En revanche, se sentir utile, alors là oui. Elle me dit qu'elle s'est rendu compte qu'elle n'avait qu'une vague idée de ce qu'est la misère, ce « monde » des gens dans la rue. Elle voulait mettre à profit ce qu'elle avait appris durant ces longues années dans le domaine social.

En discutant, Monique se rend compte aussi à quel point les Restos font partie de sa vie. Cet échange lui permet de faire un calcul rapide : elle a passé vingt-sept ans dans le groupe Caisse des dépôts, elle entame sa vingt-sixième année aux Restos du Cœur.

L'association ressemble de plus en plus à une entreprise, ce que certains bénévoles regrettent. Comme dans toute société, les Restos connaissent maintenant des conflits de générations entre les « historiques » et les nouveaux. Mais elle me dit que l'esprit de Coluche est toujours là.

Certains travaillent en couple. Ce n'est pas son cas. C'est la première fois qu'elle me parle de sa vie privée, de son mari. Je ne peux pas tout dire de ce qu'elle me confie. Elle m'explique que son époux est aujourd'hui handicapé et quand bien même il aurait été en bonne santé et jeune, il n'aurait pas œuvré pour les Restos : il a toujours considéré que si l'on veut, on peut, que l'on s'en sort toujours dès lors que l'on a envie de travailler. Dans l'entourage de Monique, il n'y a personne qui travaille pour une association caritative, et elle n'a pas envie de tenter d'en convaincre parce que ce n'est pas dans son tempérament. « Alors, me dit-elle, j'ai des amis d'un côté et ma famille des Restos du Cœur de l'autre. »

Dans la relation avec ceux qu'elle soutient, existe-t-il des choses invisibles, plus importantes que l'aide alimentaire, comme la considération ? Je vois, à son visage, que la question l'intéresse. Elle me répond vite : « Oui, absolument, absolument, notamment chez les personnes qui sont dans la rue. Avec mes collègues, nous en avons beaucoup rencontré, par exemple au relais qui se trouvait à l'église Saint-Merri, jusqu'à 700 personnes, ce qui est considérable. Et donc nous avons été amenés à mieux les connaître, à parler avec eux, à discuter... J'ai toujours mis un point d'honneur à les vouvoyer, je ne les ai jamais tutoyés. Je pouvais éventuellement, quand je les connaissais mieux, les appeler par leur prénom, ce qu'ils faisaient également. Ça m'amusait, du reste, parce que parfois ils m'appelaient Madame Monique, comme Madame Claude ou Madame Pipi, vous voyez ? Ça me paraissait toujours drôle. Je suis restée en relation avec certains d'entre eux. »

J'APPRENDRAI À QUEL POINT
L'HOMME EST INSONDABLE

On continue de discuter avec Monique. Le soir tombe doucement. On avait prévu une heure, deux heures sont déjà passées. Elle ne se montre pas pressée, et j'apprécie. Elle me parle d'un cas qui l'a marquée. « Je l'ai eu au téléphone la semaine dernière, j'étais allée le voir au mois de septembre. Nous l'avions domicilié à l'adresse de notre relais pour qu'il puisse retrouver ses droits sociaux. »

Je l'apprends – pas d'adresse donc pas de droits sociaux – et je songe à ce qu'elle m'a dit auparavant : perdre son toit est une catastrophe. Car il faut une domiciliation administrative pour entamer toute démarche, c'est extrêmement important : si les sans-domicile ne possèdent pas cette précieuse adresse, ils ne peuvent pas percevoir le RSA, ils ne peuvent pas accéder à la CMU, la couverture médicale universelle, ils ne peuvent rien... Monique m'explique qu'à l'époque les Restos étaient autorisés à servir d'adresse à des sans-domicile, ce qui n'est plus le cas aujourd'hui – ce sont les CCAS (centre communal d'action sociale) qui doivent le faire... Mais les SDF le savent-ils ? On parle beaucoup de ceux qui abuseraient des aides sociales, mais combien sont-ils à ignorer leurs droits ?

Cette possibilité qu'avaient les Restos de domicilier permettait aussi d'avoir un contact avec ces sans-domicile puisqu'ils venaient chercher leur courrier, ils avaient besoin quelquefois de renseignements, d'effectuer une déclaration d'impôt – même quand on ne gagne rien, il faut cette déclaration, l'avis de non-imposition est une clé pour obtenir des aides. « Et cet homme-là, continue Monique en souriant, il a toujours gardé l'attestation de domiciliation que je lui avais faite en 1995 ! »

J'en viens à parler d'attachement. J'aimerais savoir comment elle s'en sort avec cette empathie hors du commun. Moi, j'ai peur de m'attacher – il m'arrive de fuir une amitié naissante. Et je me demande aujourd'hui si, avec Nadia, je n'ai pas cherché à fuir un amour naissant. Cette trouille viscérale de dépendre de quelqu'un, et qui me poursuit encore.

Un jour, un sans-domicile s'est attaché à moi, je n'ai pas refusé le lien et nous avons beaucoup échangé. Il était plutôt bel homme, portait toujours le même pull bleu, l'air sympathique, volubile. Seules ses chaussures trahissaient sa précarité. Il possédait un vieil ordinateur sur lequel il passait du temps à regarder des vidéos. Il commandait un café très allongé pour pouvoir le diviser par deux ou par trois, afin de partager avec d'autres. Il m'a dit qu'il était né en France mais se sentait plus proche d'un pays du Maghreb – l'Algérie ou le Maroc, cela changeait en fonction des jours. Je « monétisais » ses tickets restaurant, c'est-à-dire que je les échangeais contre de l'argent – sinon il refusait le moindre euro, et j'avais compris que c'était une question d'honneur. Si je lui apportais un vêtement, il me le payait avec ses tickets resto. Il m'attendait au café Le Zéphyr, sur les Grands Boulevards, où je me rendais le matin pour lire mon journal. Il parlait beaucoup, avec des incohérences. Petit à petit, il est devenu insistant, évoquait des projets peu réalistes ou des inventions fantaisistes pour lesquels il sollicitait mon soutien. Ça devenait trop pour moi. J'ai changé mes habitudes. Je ne le vois plus aujourd'hui.

Je demande à Monique si, avec toutes les rencontres qu'elle a faites, elle s'est liée facilement. Elle me dit : « Oui, c'est tout bête, on s'attache. J'ai beaucoup de souvenirs. Je me souviens de ce SDF qui avait été employé en contrat aidé dans un entrepôt d'aide alimentaire que nous avions à Vitry, situé à côté de chez moi. Et puis un jour plus de nouvelles de lui, il avait quitté l'entrepôt. J'ai juste su qu'il avait été hospitalisé et j'ai téléphoné. J'ai appris qu'il était décédé. Et j'en souffre encore, vous voyez, j'en souffre encore. »

Qui était cet homme auquel Monique s'est attachée ? Je sens une émotion retenue chez elle. « C'était un homme... C'était un homme qui était joaillier. Et d'un seul coup il avait quitté sa famille – il avait deux enfants – et il s'était retrouvé dans la rue, à Paris. C'était quelqu'un de très gentil, qui n'avait pas d'addiction particulière parce que c'est malheureusement souvent le cas. Il a été malade et il est mort très jeune. Je ressens toujours une souffrance, oui. »

J'essaie d'entendre ce que dit Monique – elle me

semble si forte, si expérimentée, et je ne comprends pas tout à fait sa souffrance. Elle rencontre tous les jours des êtres dans le malheur. Ne se construit-on pas une carapace ? Est-ce douloureux ? « Ce n'est pas douloureux, non, ce n'est pas le mot. Mais c'est parfois difficile, oui. »

Quand elle a appris le décès de l'ancien joaillier, elle a téléphoné à son épouse, s'est présentée à elle et a pris un rendez-vous pour lui restituer le peu d'affaires qu'il avait. La famille habitait près du château de Saint-Fargeau, dans l'Yonne. Monique s'est rendue au cimetière et a discuté avec cette femme – une personne douce. Elle a également vu les deux filles du joaillier. À ce moment-là, la voix de Monique se fait plus vive : « Cette femme n'a jamais compris ce qui s'était passé. Elle n'a jamais compris pourquoi, d'un seul coup, son mari avait tout quitté, elle n'a pratiquement plus eu de nouvelles de lui, ne pouvait pas divorcer. Cette histoire est un mystère... »

Tout au long de mes rencontres j'apprendrai à quel point l'homme est insondable.

Monique enchaîne. « J'ai rencontré un homme qui avait un très bon poste et qui a été licencié parce qu'il buvait trop. Il s'est retrouvé dans la rue. En général, ce sont des hommes qui meurent jeunes. Il y a quelques femmes, de plus en plus, mais en général ce sont des hommes. Et puis une fois qu'on est dans la rue, une fois qu'on n'a plus de toit... c'est presque irréversible. C'est l'une des plaies du chômage. J'ai eu une amie qui s'est retrouvée sans emploi. Elle était cadre dans une entreprise. Elle m'a expliqué qu'elle avait encore un enfant à charge. Seule. Au début, elle se levait tous les matins, elle préparait son petit déjeuner, accompagnait son fils à l'école. Puis, au fil des semaines, au fil des mois, elle ne s'est plus levée. L'enfant se débrouillait pour prendre son petit déjeuner, allait seul à l'école. L'énergie a diminué pour disparaître complètement. Les liens avec les autres se sont défaits. Et quand ça dure trop longtemps, eh bien, c'est presque impossible de retrouver ces liens. Il y a comme une installation dans cette précarité, qui est très difficile à surmonter. »

Monique ajoute, un peu irritée : « C'est vraiment simpliste, ce discours que j'entends : *Si les SDF sont dans la rue, c'est qu'ils le veulent bien.* Il y a des circonstances dans la vie… ça peut être la boisson, une famille qui éclate, une situation qui explose. »

Elle me raconte ces histoires de funambules, et je suis comme hypnotisé par ce qu'elle dit, je ne rate pas un mot. À un moment, Monique me lance : « Je ne sais pas si tout ça a de l'intérêt pour vous. » Oh que si, Monique, vous n'imaginez pas à quel point ces destins me touchent. Comme vous êtes au cœur de ces récits qui racontent le fil ténu de la vie où l'on peut basculer d'un côté comme de l'autre.

« J'en ai connu des histoires comme ça. Je pourrais presque en faire un livre », me dit-elle en riant. On le fait ensemble, Monique.

QUELLE HISTOIRE ILS PORTENT ?

Monique m'explique que la précarité possède une résistance qui défie le temps, « elle tient, elle tient, c'en est incroyable ». Mais elle s'étonne toujours de cette capacité d'adaptation qu'ont les plus démunis face à la misère. « C'est extraordinaire, me raconte-t-elle. Dans le cadre de notre aide au logement, on avait rencontré une personne qui était encore dans son appartement bien qu'elle éprouvât des difficultés à payer les charges. On l'aidait comme on pouvait. Mais de temps en temps elle ne payait plus son loyer ni l'électricité, qui finissait par lui être coupée... On coupait facilement à l'époque... Eh bien, cette dame expliquait qu'en fait, ben tant pis, quand l'électricité était coupée, ça ne l'empêchait pas de recevoir les amis le soir et de s'éclairer à la bougie. Et l'assistante sociale avec laquelle on travaillait nous disait qu'il fallait admettre ce type de fonctionnement. Cette femme-là, elle s'adaptait. Elle n'avait plus d'électricité ? Elle faisait sans ! »

Monique me regarde et me dit : « Vous voyez ? C'est curieux comme on peut s'adapter à la précarité. » Je vois,

Monique, je vois. Je l'ai vécu, mais je n'ai pas envie de le raconter.

Je me rends compte que Monique a si peu parlé d'elle, un peu de son mari dont elle s'occupe beaucoup aujourd'hui. Elle a répondu à toutes mes questions, mais elle n'a pas dit grand-chose d'elle, sans doute une déformation : aux Restos, le « je » est banni au profit du « nous ». À sa manière, elle me rappelle Nadia. La pudeur de Monique est le miroir dans lequel je me vois et je n'ai pas voulu lui parler de ce qui m'obsède. J'ai senti ses fêlures et je n'ai pas eu la force d'aller plus loin.

Je note tout ce que Monique me confie. Ce n'est qu'à la relecture que je saisis la force de ses paroles. À travers l'échange, elle me fait comprendre qu'on est tous des funambules – souvent on ne le sait pas et l'existence se charge de nous le rappeler. Avec sa voix douce et son regard clair, elle m'explique que, en fait, personne n'est à l'abri. Jamais. Que le fil de la vie est fragile. On peut être tout en haut et tomber. Une maladie. Une rupture. Un accident. Tout peut basculer en un instant. Ces êtres que l'on voit dans la rue, sait-on quelle histoire ils portent ?

LE SENTIMENT D'EXISTENCE

Ce vendredi matin tôt, vers 7 h 30, il y a peu de monde au Longchamp qui vient d'ouvrir. Au comptoir, seul le Philosophe lit *Le Parisien* du jour. Rafik en profite pour ranger des cartons de cigarettes et nettoyer tout un tas de verres. Il y met beaucoup d'application, scrutant chaque verre en le levant au ciel pour dénicher la moindre trace.

Le Philosophe est plongé dans les nouvelles, il ne me voit pas arriver. Je me permets de lui lancer : « Alors, ce sentiment de l'existence ? » Il prend son temps, replie le journal avec application et le pose sur le comptoir près de la caisse – il appartient au Longchamp. Puis il enchaîne son argumentation comme si l'on ne s'était pas quittés il y a trois jours : « Ce n'est pas le sentiment DE l'existence, c'est le sentiment D'existence ! » me corrige-t-il en appuyant bien sur le « de », avant d'ajouter : « Rousseau pose une question fondamentale : peut-on avoir le sentiment d'existence sans autrui ? »

J'ai envie de le taquiner, je sais qu'il n'aime pas trop que je l'interrompe. Comme tout prof – mais a-t-il été prof ? Il reste mystérieux sur sa vie –, il considère que l'élève doit écouter, un point c'est tout, et l'élève ne peut poser de question que s'il est invité à le faire. Je dérange cet ordre des choses et je le mitraille d'interrogations – « quelle est la différence entre le sentiment "de" l'existence et le sentiment d'existence ? ». Mais il ne me répond pas, il poursuit comme si je n'avais rien dit : « Pour Rousseau, l'homme sauvage, c'est-à-dire l'homme de la nature, tire de lui-même le sentiment de son existence, tandis que l'homme de la société a besoin de l'opinion des autres. Il ne peut avoir le sentiment d'exister sans les autres. »

Ça résonne fort avec ce que me disait Nadia. Je m'en souviendrai toujours : « Je tremble au bout d'un fil, si nul ne pense à moi, je cesse d'exister. » Supervielle avait mis ces mots dans la bouche d'une étoile. J'ai envie de parler de Nadia, mais je ne sais pas par quoi commencer ni si ça peut intéresser le Philosophe. Il est ailleurs, il a l'air bien, et je ne veux pas le déranger.

J'avais vingt-trois ans. Je venais de valider deux masters à l'université de Nanterre, la même année. Le directeur du département Droit et Sciences politiques m'avait félicité. J'avais appelé ma mère, histoire de lui dire que j'avais eu un diplôme – ce n'était pas la peine de lui dire quel diplôme ni de lui expliquer les subtilités de décrocher deux masters en même temps. Pour elle, un diplôme est un diplôme, du moment qu'il permet de travailler dans un bureau.

Au téléphone, je l'avais sentie contente et elle m'avait dit qu'elle allait prévenir les voisines. Elle organiserait une fête. Il y aurait du jus d'orange et des gâteaux.

Quand je suis arrivé à la maison, les voisines étaient déjà là. Il y avait du brouhaha, ma mère a demandé le silence et elle a dit à tout le monde, de manière théâtrale : « C'est mon fils. Il vient d'avoir le CAP. »

SONIA

Ce matin, je reçois un mot dans ma boîte aux lettres. Il n'y a ni enveloppe ni timbre. Son écriture est tremblante, comme saisie par l'urgence.

« bonjour monsieur je suis désolée de vous déranger mais je me suis dit comme vous avez beaucoup de choses a faire a la fois peut-être que vous avez oubliér mais si vous n'avez pas le temps dans la semaine on peut se voir samedi ou dimanche suivant votre emploi du temps ce qui m'empêche de dormir c'est la peur de mourrire avant de réaliser mon souhait de publier mon livre se sera vraiment dommage de ne pas avoir le jour cette histoire avant mon départ je vous prie de faire quelque chose pour moi je vous serai reconaissante de tout mon cœur merci à vous si vous voulez je peux vous téléphoner si vous n'avez pas le temps de le faire merci encore. Je serais malheureuse si je meure avant de publier ma vie qui est une histoire unique. J'ai besoin de votre aide, je ne suis pas capable de le faire seule. J'ai une histoire pour deux livres. Merci de m'aider.

Sonia »

J'ai croisé Sonia au relais des Restos de Saint-Merri. Elle m'a parlé de son désir d'écrire un livre sur sa vie. Elle sait que j'aide des personnes à raconter leur histoire. Et l'équipe de Jean-Patrick Spak l'a renvoyée vers moi. Je ne sais comment elle a eu mon adresse.

J'endosse trop de vies. Porter le livre d'un autre c'est porter ses angoisses et ses malheurs. Et le pire, c'est porter ses espoirs. Je n'ai pas toujours ce courage.

Il n'y a pas forcément de joie à plonger dans l'existence d'un être. Les gens cabossés veulent panser des blessures profondes avec des mots. Or, parfois, ils ne font qu'ajouter à la fêlure. Écrire n'est jamais anodin. Il m'est arrivé de dissuader, quand ce n'était pas la personne elle-même qui décidait d'arrêter les dégâts. Le rapport à l'écriture est décidément compliqué. On perd toute distance. Certains en deviennent fous. Il faudrait que j'en parle à Jean-Patrick Spak. On n'écrit pas impunément.

Sonia veut que je rédige le récit de sa vie. Elle a un compte à régler avec je ne sais qui – la famille ou la vie. Avant que l'on ait couché la moindre phrase sur le papier, elle parle de son livre qui aurait un énorme retentissement, peut-être même une adaptation sur grand écran – elle le voit bien, le film, la grande actrice pour jouer « son » rôle, Sara Forestier, et pas question que ce soit une autre. J'essaie de la recentrer sur son histoire, de poser deux ou trois pistes simples : son enfance ? Ses parents ? Ses rêves ? Je n'évoque pas encore sa fêlure – c'est trop tôt. Elle esquive toutes les questions. Mais a déjà des exigences : une urgence à le publier vite. Elle ne me dit rien de son existence qu'elle considère comme

« exceptionnelle », elle parle juste des choses qu'elle ne peut pas dévoiler, parce que c'est trop important et les autres n'ont pas à savoir, me prévient-elle. Son ex, sa mère, son père, ses voisins seront « verts » quand ils verront le livre en librairie. Elle ajoute qu'elle est en conflit avec son avocat...

LE JUIF SUR UNE ÎLE DÉSERTE

Mon téléphone vibre. Le nom de Bizness s'affiche.
J'hésite à répondre à chaque fois. Je sais qu'avec lui le
risque est certain que la conversation s'éternise ou qu'il
me conduise dans l'une de ses fameuses galères. Je me
fais toujours avoir. Je réponds.

C'est la seule personne que je connaisse qui ne dise ni
« bonjour » ni « est-ce que je te dérange ? ». Après tout, il
est pragmatique, si je décroche c'est qu'il ne me dérange
pas. Sans aucune phrase de transition, il me lance : « Tu
la connais, celle du juif sur une île déserte ? » Je n'ai pas
le temps de lui dire « oui bien sûr je la connais » qu'il
enchaîne : « Un bateau débarque sur une île déserte.
On retrouve un seul survivant : un juif sépharade. Il
est amaigri mais paraît en forme. Le plus surprenant
est que sur cette toute petite île deux synagogues ont
été construites. Le capitaine du bateau s'en étonne et
demande au juif pourquoi il a bâti ces deux synagogues
alors qu'il est tout seul. Le sépharade lui répond : "Parce
qu'il y a celle où je me rends et celle où je ne mettrai
jamais les pieds !" »

Bizness se marre tout seul et me répète et m'explique : « Celle où je me rends et celle où je ne mettrai jamais les pieds, alors qu'il est tout seul. C'est fou, non ? Elle est bonne, celle-là, hein ? »

Puis il raccroche. Et moi j'imagine son rire résonner et le bonhomme heureux de sa blague qu'il a dû me raconter une centaine de fois.

QUART MONDE

Le samedi midi, je vais à l'antenne nationale d'ATD Quart Monde, située à Baillet, en banlieue parisienne, dans le Val-d'Oise. Je prends le RER, c'est loin de chez moi. Je renoue avec les heures de transport interminables, les trains en retard ou supprimés que j'ai connus adolescent, mais à l'époque je devais être d'une patience infinie et passer la moitié de la journée dans un wagon lugubre ne me gênait pas.

À l'arrivée, le panneau indique « Baillet-en-France ». La plupart des gares de banlieue se ressemblent – le charme et la chaleur y sont interdits. Seule une boulangerie « artisanale » fait face à la gare. Il me faut marcher une bonne demi-heure avant d'arriver chez ATD Quart Monde. Quand il fait beau, c'est agréable. Les jours d'averses je me maudis de n'avoir jamais su prévoir un parapluie.

Je rencontre des « militants », des « volontaires permanents » et des « alliés » de l'association – c'est comme cela qu'ils s'appellent. D'ailleurs, ils ne disent pas « association » mais « mouvement ». La terminologie qu'utilise ATD Quart Monde emprunte à l'art de la guerre. Pour eux, la lutte contre la pauvreté est un combat quotidien. Je suis un « sympathisant ».

Je suis impressionné par ce qu'ATD a mis en place à Baillet avec le Centre international Joseph-Wresinski, du nom du fondateur. C'est un lieu de mémoire, d'archives et de collectes de témoignages sur la pauvreté. J'y vais aussi quand il y a des colloques. Je ferai un compte-rendu à Jean-Patrick Spak.

Je me suis lié avec l'équipe de volontaires permanents, mais il a fallu du temps, beaucoup de temps. Et même après deux années à manger ensemble le samedi midi, peu se livrent, la promiscuité n'aide pas non plus. Il est difficile de se retrouver en tête à tête avec l'un des bénévoles, de prendre un café à deux, nous sommes toujours en nombre, six à huit personnes au moins, à chaque fois. Je n'arrive pas à parler de Nadia.

Je sais que Nadia aimait profondément cette association – elle l'admirait. Elle n'était pas volubile, mais quand elle me parlait de Geneviève de Gaulle-Anthonioz, elle ne s'arrêtait plus. Cette femme avait aidé le père Joseph Wresinski à fonder ATD Quart Monde en 1956. À l'époque ATD signifiait « Aide à toute détresse » ; cela a changé au cours du temps et des ambitions du mouvement, le sigle est aujourd'hui traduit par « Agir tous pour la dignité ». C'est devenu une organisation internationale extrêmement efficace qui agit dans le monde entier. L'abbé Pierre avait également apporté son soutien lors de sa fondation.

Geneviève de Gaulle-Anthonioz était la nièce de De Gaulle, mais cela n'intéressait pas vraiment Nadia. Elle évoquait plus souvent le passé de résistante de cette femme qui ne s'est jamais mise en avant. Elle appartenait au même réseau que celui de Germaine Tillion, le groupe du musée de l'Homme. Les deux amies avaient connu le camp de Ravensbrück après avoir été arrêtées par la Gestapo et emprisonnées à Fresnes. Des « souvenirs cauchemars », disait Geneviève. Nadia me parlait aussi de ce petit livre magnifique que la déportée avait écrit, *La traversée de la nuit*. Il faisait cinquante-neuf pages, avec une couverture grise. Cinquante-neuf pages lumineuses par l'espérance et la solidarité qu'elles dégageaient. On avait chacun son exemplaire. C'étaient des moments forts qu'on partageait avec Nadia, je me souviens par cœur de certains passages, quand Geneviève racontait que les autres filles déportées – ses sœurs d'infortune – lui avaient préparé son anniversaire : chacune avait apporté un bout de mie de pain pour composer un gâteau sur lequel elles avaient posé vingt-quatre brindilles. Elle a écrit que c'était le plus bel anniversaire de sa vie, « un vrai moment de bonheur ! » volé dans ce camp de Ravensbrück.

Pour tromper l'ennui, Geneviève « sympathisait » avec des cancrelats et organisait des courses à la miette de mie de pain que Félix et Victor – elle les avait nommés ainsi – gagnaient à tour de rôle (mais elle en distribuait aussi aux perdants).

Elle n'a eu la force de raconter ce passé que cinquante années après. Je ne sais pas pourquoi. Sans doute ne voulait-elle pas encombrer les autres – d'autres rescapés m'avaient confié cela. Résister dans ces lieux, c'était ne pas tomber dans l'inhumanité comme ces femmes qui abusaient de leur position de gardienne. Il fallait partager le pain. Et l'humiliation.

Après sa déportation, Geneviève s'est toujours battue pour les autres. C'était peut-être sa manière à elle de panser sa fêlure. Elle laisse une trace indélébile auprès d'ATD Quart Monde, qu'elle a dirigé avec sa voix douce et une énergie de tous les instants durant plus de deux décennies auprès de son fondateur, le père Joseph Wresinski, et après la mort de ce dernier. Elle avait quitté les ors du cabinet du ministre de la Culture de l'époque, André Malraux, pour rejoindre le mouvement de lutte contre la misère installé dans un bidonville, à Noisy-le-Grand. Elle a été à la pointe du combat qui a abouti à une loi pour lutter contre les exclusions et la grande pauvreté. Geneviève de Gaulle-Anthonioz avait également témoigné au procès de Klaus Barbie. Je n'ai plus aujourd'hui mon exemplaire de *La traversée de la nuit*.

Geneviève est morte en 2002. L'année de mes dix-huit ans. C'était une grande dame discrète qu'on admirait avec Nadia. Sa disparition nous avait rapprochés davantage.

Quand, le 27 mai 2015, elle est symboliquement entrée au Panthéon avec sa copine Germaine Tillion, j'étais heureux et triste. Ce beau moment, j'aurais voulu le partager avec Nadia, mais je ne savais plus ce qu'elle était devenue.

J'ai réussi à dénicher un exemplaire de *La traversée de la nuit* chez un soldeur, le même que celui que j'avais à l'époque. En le relisant, je veux retrouver le parfum de Nadia, et je me rends compte que c'est ma jeunesse qui me revient à la figure. J'ai gardé en mémoire la dernière phrase du récit : « L'aube se lève à peine. C'est peut-être celle de l'espérance ? »

« NOS VIES SONT FAITES DE VIOLENCES »

Le mardi 27 novembre, je me rends à Caen. L'Université populaire d'ATD Quart Monde m'invite à intervenir. Comme souvent, j'accepte sans savoir ce que cela recouvre. Mon travail d'écriture sur des recueils de témoignages les intéresse. Et puis c'est un honneur que je ne peux refuser, même si j'appréhende le rendez-vous. JPS m'a convaincu d'y aller, ça pouvait être important pour son projet. Cette université populaire est un lieu de dialogue et d'échanges entre des personnes dans des situations de précarité et d'autres qui s'engagent à leurs côtés.

L'énergique Valérie, qui s'occupe de tout à Caen, me prévient que toute l'assistance a réfléchi, seul ou en petit groupe. Elle me précise que le dialogue part de la salle – et prioritairement des personnes en situation de pauvreté. Je comprends que je ne suis pas là pour donner une conférence mais pour écouter, et cela me convient bien. J'interviendrai en dernier. Valérie me dit que l'association me confie la responsabilité de me mettre à l'écoute de la salle pour dire ensuite comment ce que j'ai entendu me parle. Quelles résonances avec ma propre pensée ? Quel lien avec mon travail ? « Et tout cela en quinze minutes maxi. Exercice difficile, n'est-ce pas ? » me dit-elle. Je lui souris.

À 19 heures, je me retrouve dans un local situé rue d'Auge, près de la chapelle Sainte-Paix. À l'entrée, sous le sigle ATD QUART MONDE, je vois une grande affiche en lettres capitales : « ENSEMBLE CONSTRUIRE UNE SOCIÉTÉ QUI NE LAISSE PERSONNE DERRIÈRE ».

Dès le début, je fais face à un flot de témoignages. Je ne m'y attendais pas. Je n'ai la possibilité de retenir ni les noms de tous les intervenants, ni les circonstances de ce qu'ils racontent. Je dis « ils », mais ce sont surtout des femmes.

Je suis bien incapable de mettre un visage sur les mots que je reçois, comme si je me retrouvais sous une cascade.

La première phrase, c'est une femme d'une soixantaine d'années qui la prononce : « Nos vies sont faites de violences. » Puis elle ajoute, comme si elle cherchait le Graal : « J'aimerais juste vivre comme tout le monde. » Elle a répété cette phrase plusieurs fois, et je l'ai retournée dans ma tête dans tous les sens, je n'arrive pas à la saisir pleinement. « Vivre comme tout le monde » devient pour moi la plus belle et la plus effrayante des ambitions. En vérité, je comprends bien tout ce que cette femme veut exprimer. Elle me renvoie des années en arrière, une période que je veux oublier : vivre comme tout le monde était le désir fou de ma mère. Je savais que si je réussissais à décrocher un travail dans un bureau – peu importe lequel, du moment qu'on ne se salit pas, qu'il n'y a pas besoin de chaussures de sécurité, que l'activité ne dépend pas des intempéries – ma mère serait fière et apaisée.

Dans la petite salle de Caen, je me retrouve dans un tourbillon de désespoirs, je cherche à m'agripper à un seul instant lumineux. Je n'en vois pas. J'entends que même les solutions élaborées pour ces personnes confrontées à l'extrême pauvreté sont aussi sources de désillusions. Je n'en peux plus, mais je reste jusqu'au bout. Je comprends qu'il est nécessaire de laisser parler.

J'ai une lueur d'espoir quand j'entends le témoignage d'une fille de dix-huit ans. Elle vient de réussir son CAP de coiffure, une activité où il y a de l'emploi. Blonde aux yeux clairs, mince, elle arbore un tatouage sur le haut de la main gauche que je n'arrive pas à décrypter, elle est jolie – je ne peux m'empêcher de penser que c'est un atout dans la vie. Elle a tout pour s'en sortir, je ne comprends pas sa présence ici. Avec un sourire tout plein de grâce, elle explique qu'elle ne veut quitter ni sa mère ni sa grand-mère, et qu'elle restera vivre dans le studio délabré qu'elles occupent toutes les trois. Jamais elle ne les abandonnera. Elle sera solidaire. Trois générations de femmes dans la misère. Pourquoi la fille s'inflige-t-elle ce fardeau ? J'ignorais que la précarité pouvait être un héritage, ou un virus que l'on transmet. J'en veux à la mère et à la grand-mère de lui léguer tout cela. Je leur en veux de ne pas pousser cette jeune à s'en sortir, même sans elles.

Une autre femme intervient et dit que la violence est liée à l'humiliation, à cette façon de nier une humanité : « Non seulement je n'ai rien, mais je suis réduite à rien. »

Elle ajoute que c'est une violence invisible qui fait un dégât considérable. Elle explique que c'est le manque de respect qui fait le plus mal, ce sont des mots tels que « cas social », « mauvaise mère », « incapable », « bonne à rien », « assistée »… Cela donne le sentiment de ne pas exister, de ne pas faire partie du même monde, de ne pas être traité comme les autres. Si des mots peuvent faire un bien fou – ces mots doux et chauds que l'on reçoit comme des cadeaux, qui emplissent de joie et de reconnaissance –, les mots peuvent aussi blesser. Gravement.

« JE VOUDRAIS APPRENDRE
À EXISTER »

Valérie mène les débats. Elle mène tout, ici – la logistique, la programmation, l'animation, l'hébergement. Elle propose à chacun de choisir un mot et d'expliquer pourquoi en une minute – elle aime que les choses aillent vite.

Les paroles s'enchaînent sans transition ni respiration.

Christine opte pour *Pourquoi* : « *Pourquoi* j'ai été placée dans une famille d'accueil ? *Pourquoi* ma mère m'a laissée ? Je vivrai toujours avec des *pourquoi*. »

Gabrielle dit le mot *Violence*. « Ma propre violence. Je sais que ce n'est pas bien de boire – j'ai eu deux parents alcooliques. J'ai reproduit ça, et il y a cinq ans j'ai été violente avec mes deux enfants. J'ai demandé de l'aide : ils sont encore placés. Mais je suis fière de les avoir protégés de ma violence. »

Bernard lance *Colère*. « J'ai toujours été en colère. »

Patricia dit *Chance*, parce qu'elle court toujours après sa chance.

Claudine prend *Séparation* : « J'ai été placée à l'âge de huit ans », raconte-t-elle.

Jean-Louis dit *Rien*. « Je ne suis rien, mon histoire n'existe pas. »

Gilles affirme *Souffrance*. « J'ai choisi le mot souffrance pour dire mon existence. J'ai été ballotté de famille en famille. Ma mère ne pouvait pas m'élever. Ma vie est une succession de foyers. Le pire de mon histoire est qu'on ne m'a pas compris. C'est vrai, je me comportais mal. On m'a dit que j'étais débile. Mais jamais personne ne m'a aidé à être mieux compris. Il n'y a pas si longtemps, j'ai récupéré mon dossier à la DDASS, et c'est tout ce que j'ai de ma vie. Un dossier. »

Valérie s'implique personnellement dans les échanges, sans doute pour mettre un peu d'optimisme dans la salle, et choisit le mot *Fierté*. « Fierté de vous en être sortis, même des pires galères. »

Marie-Thérèse dit *Courage*. « Pour garder la tête haute. » Ou *Combat* : « Depuis toute petite, j'ai toujours vu mes parents combattre, j'ai fait la même chose. »

« Moi, c'est *Amour* », affirme une femme qui ne donne pas son prénom. Je me dis enfin un mot positif. Elle enchaîne : « Amour, parce que j'ai manqué d'amour. Je ne voyais mes parents qu'une fois par an. »

José embraye avec *Histoire*. « Pour moi, l'histoire, c'est de la merde. Y a rien à dire. Ce ne sont que des souvenirs douloureux, ma mère partait souvent à l'hôpital psychiatrique. Je construirai une autre histoire à mes enfants. »

Isabelle choisit *Chaotique*. « *Chaotique*, mon histoire. *Chaotique*, l'histoire de mes parents, celle de mes grands-parents. *Chaotique*, l'histoire de mes enfants. »

Magali dit *Parole*. « Qu'on arrive enfin à accéder à la parole. »

Germaine, le visage tout ridé, corps sec, abîmé, courbé, mais, je suis sûr, elle n'a pas cinquante ans, balance *Souffrances Humiliations Colères*. « Trop de souffrances, trop d'humiliations, trop de colères. Tant que je ne saurai pas quoi ramener à manger à mes enfants, je ne pourrai pas trouver la paix intérieure. Aujourd'hui, pour moi, imaginer la paix, c'est être dessous terre. »

Ce soir, des mots fusent de partout. On ne sait pas toujours qui les prononce. Je prends des notes à la vavite, parce que je souhaite d'abord écouter. Si j'aligne les mots choisis, cela donne *Pourquoi Violence Colère* (deux fois) *Chance Séparation Rien Souffrances* (deux fois) *Histoire Fierté Courage Combat Amour Chaotique Parole Humiliation*.

Mes phrases sont griffonnées à la hâte. Les prénoms s'emmêlent. Qui a dit « En chemin, quand on est écrasé par la vie, on se sent inutile. On cherche l'occasion de montrer qu'on est quelqu'un, qu'on a des choses à apporter » ? Ou « Les pauvres ne laissent pas de traces » ?

Je note ceci à la fin de mon cahier : Femme / 30 ans ? / « Je voudrais apprendre à exister. »

ÉLISABETH POUR PARLER DU SILENCE

Au milieu de cette salle, une femme se lève. Il ne doit pas être loin de 22 heures. Elle se présente, elle s'appelle Élisabeth. Elle est debout, et à cet instant elle impose un rythme plus lent que ce flot de mots. Elle a des cheveux gris coupés mi-long, mais semble plutôt jeune – je dirais trente-cinq ans maximum. J'aime tout de suite en elle cette grâce naturelle ; je sens qu'elle a été cassée d'avoir fait confiance, peut-être même a-t-elle été violentée. Je me dis : elle a fait confiance à un homme pas habitué à ce qu'on lui fasse confiance et il l'a agressée. Et pourtant cette femme aux cheveux gris garde cette foi en la vie comme on est accroché à ses principes – c'est exactement à tout cela que je pense au moment où elle se met debout. C'est fou ce que l'on peut construire comme récit en un regard.

Elle dit, avec une étonnante douceur par rapport à ses paroles : « Il y a des violences inoubliables qu'on est obligé de taire. » Sa phrase résonne auprès de toute l'assistance, hommes comme femmes, qui acquiescent d'un seul mouvement. Chacun retient chaque mot – « Il y a des violences inoubliables qu'on est obligé de taire » – et comprend que ce n'est pas une pensée générale, mais le fruit amer d'une expérience.

Elle enchaîne : « Face aux violences, on perd conscience que ce que l'on vit n'est pas normal. Et si une personne a toujours été condamnée au silence pour survivre, personne ne peut parler à sa place. Je ne suis pas psy, mais j'ai compris que pour rompre le silence il faut d'abord comprendre pourquoi on le garde, ce silence. Il faut savoir qu'il y a des silences qui protègent car parler serait amener encore plus de violence. C'est un cas de conscience qui vous mine de l'intérieur. »

Elle a dit tout cela avec une pudeur qui force l'admiration – tout le monde a saisi qu'elle parle d'elle, mais à aucun moment elle ne l'a exprimé clairement, comme si elle ne voulait pas se mettre en avant ou affirmer qu'elle se plaint – elle sait qu'ici chacun porte son lot de malheurs et de fêlures.

Elle a utilisé une expression que je ne peux oublier. Elle dit : « Il y a des silences de résignation. » Puis elle explique que ces silences de résignation naissent et se cultivent dans le terreau de l'indifférence, de l'absence d'écoute parce que ces personnes ne croient plus qu'on peut les prendre en compte, on n'entend pas leurs paroles, alors à quoi bon parler si on ne peut pas être aidé ? « Garder le silence est aussi une résistance pour ne pas tomber. Le problème, c'est que ce silence cache la violence. »

Il n'y a que vers la fin qu'elle s'est exprimée comme si elle témoignait de ce qu'elle a réellement vécu. « Je n'avais pas toujours conscience de ce que je vivais. On n'en parle pas aux autres. On a honte. Et c'est difficile de rompre un silence. Personne ne vous l'apprend. Surtout pas la famille. »

Valérie, après ce témoignage, tente d'alléger l'atmosphère. Un chercheur en sociologie se trouve dans la salle, elle l'invite à prendre la parole. Il dit : « Je me rends compte que je ne connais pas grand-chose alors que cela fait près de vingt années que j'effectue des recherches dans le domaine social et plus spécialement celui dédié à l'histoire de la pauvreté. Je me sens complètement ignorant face à ce que j'ai entendu ce soir. » Il ajoute : « Parmi les engagements pris par ATD, tous sont intéressants bien sûr, mais celui qui consiste à réhabiliter les personnes les plus défavorisées dans leur histoire collective et familiale et dans leur résistance m'a touché, il faut soutenir ce que les spécialistes appellent le *renouement* familial, la transmission de génération en génération pour que tous les enfants puissent apprendre de leurs parents. Travailler avec les groupes humains qui sont les moins entendus, écrire leur histoire face à la misère, les réhabiliter... » Il use d'un jargon, comme ces termes de « groupes humains » et de « renouement », mais son intervention a amené un peu d'espérance. Ici, ceux qui ont osé parler devant les autres et ceux qui n'ont pas osé savent le poids des mots. Et moi, je me sens proche d'eux. Je sais aussi ce que signifie ne pas avoir d'histoire familiale – ce fameux arbre généalogique dont tant de familles semblent fières. Ici, il n'y a que des « groupes » déglingués, des « familles » nucléaires, décomposées sans jamais être recomposées, des arbres sans branches ni racines. Dans la cité Anne-Frank, c'était pareil. On n'en voyait pas beaucoup, des familles « normales » bâties autour d'un couple solide – souvent, les mères se débrouillaient seules ; et les pères, quand ils étaient là, on ne pouvait pas en faire des exemples.

J'aimais Nadia aussi parce qu'elle avait une famille : un père, une mère, une sœur. Un chien. Une voiture. Une vraie famille, enfin. L'idéal. Et même des grands-parents à qui elle rendait visite. Son père, un fou de généalogie, avait reconstitué leur arbre et avait trouvé un aïeul qui remontait au début du XVIIIe siècle.

Nadia était pour moi comme un havre de paix. Je pensais qu'il était inconcevable d'intégrer une famille.

J'avais trente ans, et je m'étonne encore aujourd'hui d'avoir attendu si longtemps pour poser la question. De par mon métier, j'ai dû réaliser des centaines d'entretiens, poser des milliers de questions, mais je n'ai jamais pensé interroger ma mère sur son passé. Un dimanche de janvier, lors de la première année où elle s'est retrouvée dans cette maison de repos, je lui demande combien de frères et de sœurs elle a. Ma mère a perdu tout lien avec sa famille. Elle ne semble pas perturbée par le fait de ne pas pouvoir y répondre spontanément. Elle prend ses doigts comme un enfant qui effectue ses premières additions. Après deux ou trois minutes qui m'ont paru une éternité, elle me répond : « Huit ou neuf. »

« TOUT VA BIEN,
ÇA POURRAIT ÊTRE PIRE »

De retour à Paris, j'ai hâte de retrouver le Philosophe.
J'arrive à sonder son moral au premier coup d'œil. C'est
son regard qui le trahit, sinon il passe son temps à me
dire : « Tout va bien, ça pourrait être pire. » Mais ses
yeux me disent tout autre chose, aujourd'hui. Pourtant,
les beaux jours s'annoncent, c'est une période où le
Longchamp se remplit vite – les gens ont-ils plus envie
de jouer à l'EuroMillions ou aux paris sportifs avant les
vacances ? Quand il y a du monde, le Philosophe se sent
de trop, comme s'il prenait la place de quelqu'un.

Je l'aperçois accoudé au comptoir. Il parle seul – ça
m'inquiète un peu, je sais que c'est l'effet de la solitude.
Il a l'air fatigué et le moral au ras des chaussettes. Je
tente une diversion en le lançant sur son sujet de pré-
dilection. « Alors, l'homme sauvage est-il meilleur que
l'homme social ? »

Il a un petit mouvement des yeux qui s'allument. J'ai
dû l'étonner par ma question – j'ai révisé avant, et je
suis venu avec deux livres de Rousseau en édition de
poche – *Les confessions* et *Les rêveries du promeneur soli-*

taire –, il m'aurait disputé si j'avais acheté des éditions grand format.

« La réponse n'est pas aussi simple dans la mesure où la question fait appel à des notions aussi communes et fondamentales que l'expérience d'une vie, le rapport avec les autres et la recherche du bonheur », professe-t-il avec un ton qui se veut doctoral. Je le vois reprendre du poil de la bête, mais je suis d'humeur à le défier et j'ai passé ma nuit à manger du Rousseau, il faut bien que cela serve à quelque chose. Je lui balance une phrase que j'ai retenue par cœur, ce qui ne m'arrive pas souvent – j'admire chez certains cette capacité à retenir des citations entières. « Mais moi détaché d'eux et de tout, que suis-je moi-même ? » s'interroge Rousseau dans la première promenade de ses *Rêveries*. Une réponse, monsieur le Philosophe ?

Il se prend au jeu. Il oublie le monde qui l'entoure, et tout le reste. « Oh ! Vous savez, me répond-il, la solitude est un des thèmes majeurs qui revient souvent dans les écrits de Rousseau. On peut penser que celle-ci est un mal, qu'elle n'est pas naturelle, puisque seul, nous ne sommes rien. Mais Rousseau va au contraire prôner la solitude comme une manière de vivre. »

J'allais en profiter pour lui parler de sa propre solitude, sa fêlure à lui, mais je me suis retenu. Qui suis-je pour lui asséner ça ? Il m'en parle s'il le souhaite, et seulement s'il le souhaite. Sa bonne humeur revient, je ne vais pas gâcher ce moment. Je laisse le silence s'installer, et je crois qu'il est en train de penser à la double interprétation de ce qu'il vient de dire. Un voile triste se pose sur ses yeux.

AUX RESTOS DU CŒUR

Je vais au siège des Restos du Cœur. Monique, l'amie de Jean-Patrick Spak, m'a conseillé de voir Germain, il s'occupe de formation et il a rencontré beaucoup de bénévoles. Chaque nouvel entrant dans l'association suit un stage d'une demi-journée, « Mieux connaître les Restos », qui lui est proposé dès les trois premiers mois de son arrivée. Nadia a dû passer par là, c'est sûr. Je décide de partir sur ses traces – existe-t-il un autre moyen de la retrouver ? Je suis persuadé que non. J'ai envie d'entendre ce qu'elle a entendu. J'ai la vaine impression que cela peut me rapprocher d'elle.

Quand j'arrive rue de Clichy, je suis de nouveau surpris par la beauté des lieux. Que ce soit à l'accueil, dans les ascenseurs ou à l'intérieur des locaux, rien ne distingue les Restos du Cœur d'une société en pleine expansion. J'aime l'idée qu'il n'y a pas de raison de s'afficher pauvre pour aider les plus démunis.

Je pensais que l'on pouvait rentrer dans une association comme on entre dans un moulin. Mais Germain me dit d'emblée que cette demi-journée pousse les béné-

voles à bien réfléchir sur leurs motivations et leur enga-
gement. Tous ne restent pas après ce stage, parce que
certains estiment qu'au prétexte d'aider on vient quand
ça nous chante.

La formation débute par une longue introduction sur
la création des Restos du Cœur et l'émission d'Europe 1,
en juin 1986, où Coluche avait lancé l'idée de l'association. Je connais par cœur cette histoire. Je sais aussi que,
dès le départ, le malin comique s'était appuyé sur des
étudiants issus de grandes écoles de commerce. Si on
veut être efficace dans la charité, il faut savoir trouver
les fonds et bien les faire fructifier. Quand on est bénévole on ne perd ni temps ni argent, on sait à quel point
c'est précieux. Les Restos du Cœur sont passés sous les
fourches caudines de la Cour des comptes. Cette ins-
titution avait l'habitude de trouver des gaspillages partout et des dysfonctionnements, voire des escroqueries
– c'est comme ça qu'ont été révélés les scandales de la
Ligue contre le cancer et de la SPA : des millions d'euros volatilisés, des dirigeants qui se goinfraient, des dons
détournés pour s'offrir des appartements, des voitures
ou des voyages...

Quand ils ont mis le nez dans les comptes des Restos,
les experts de la Cour des comptes étaient épatés. Et à
deux reprises : la première fois, ils ont juste conseillé à
l'association de se professionnaliser un peu plus ; la deuxième fois, ils n'ont rien eu à redire. Chaque euro reçu
par les Restos rapporte six euros de bénéfice pour les
plus démunis. Personne n'a fait mieux.

Cette histoire des Restos m'apprend beaucoup sur
Coluche. Derrière l'image du saltimbanque, il y avait

un homme avisé, efficace. Lui, le fêtard, le rigolo, n'était jamais en retard pour les réunions tenues tous les jeudis matin au siège. Il y a quelque chose qui me sidère. La plupart des grands hommes, des dirigeants ou des artistes, aiment inconsciemment qu'après eux on constate le déluge. Comme pour dire aux survivants « Je suis irremplaçable ». Coluche, lui, avait réussi : sa mort n'a pas détruit son œuvre, elle a continué de plus belle, plus forte encore que de son vivant. Il a trouvé les meilleurs relais comme le chanteur Jean-Jacques Goldman. Son visage au sourire espiègle s'affiche sur tous les slogans de l'association.

Les bénévoles découvrent que les démunis ont d'autres besoins que de se nourrir ou de trouver un toit. Ils désirent être écoutés, ils veulent parler avec quelqu'un plutôt que de se retrouver toujours de l'autre côté d'un guichet en situation de quémander. Germain me regarde et me dit que l'aide à l'insertion est tout aussi importante que l'aide alimentaire. Que c'est le lien qui répare. Il ne peut pas imaginer à quel point cela me touche.

Dans la jeune histoire des Restos, l'année 1999 est singulière. Un bénévole s'insurge contre les distributions : pour lui, tout ça, ce n'est que de la charité organisée, une manière de maintenir une paix sociale. L'incroyable est qu'il est entendu. Le traditionnel système de distribution – le bénéficiaire arrive, le bénévole donne – sera bouleversé. D'abord par les mots, on ne dira plus « bénéficiaire », mais « personne accueillie ». Ça a l'air dérisoire un changement de nom, mais c'est fantastique, les choses évoluent dans les esprits grâce aux mots. Désormais, la personne accueillie choisit elle-même ses denrées alimentaires, comme dans un supermarché. Elle a un certain nombre de points afin de diversifier l'alimentation et elle est accompagnée par un bénévole. Ça crée du lien, insiste Germain.

Ce nouveau système a été difficile à mettre en place – certains ont encore du mal avec cette façon de faire et continuent de dire « bénéficiaires ».

Germain me parle de son travail avec une passion qui m'émeut. J'aime cette implication. Je sais que sans tous ces bénévoles le monde serait plus dur.

Je ne sais pas ce qu'il me prend mais, mis en confiance, j'ose, alors que c'est le moment où tout le monde se dit au revoir, lui demander s'il a croisé Nadia. Il me répond avec une incroyable gentillesse – il a dû remarquer mon trouble – qu'il a formé trop de monde pour s'en souvenir, et qu'une demi-journée ne suffit pas pour se connaître. Les Restos sont une grande entreprise de 75 000 bénévoles, mais il va fouiller dans ses archives.

Germain m'appelle le soir même. Il m'explique que mon air désemparé l'a touché et que, après tout, il ne révèle pas un secret d'État. Nadia a travaillé pour le centre du passage Faugier, à Lyon. Sur sa fiche, il est indiqué qu'elle a assuré l'accueil et les cours d'alphabétisation. Il ne sait pas combien de temps elle y est restée. Elle n'a pas de numéro de portable. Il n'a plus de traces d'elle depuis 2014.

Je suis un peu sonné, c'est la première fois que j'ai une possibilité de retrouver Nadia. Maintenant, ça me revient : elle a connu Lyon. On était dans le métro sur la ligne 7 en direction de Villejuif – Louis-Aragon, on allait s'arrêter à Censier – Daubenton quand elle m'a parlé d'un grand-père qui vivait tout près de Lyon, mais elle ne m'en a pas dit plus, sauf, comme tout revient quand on active sa mémoire, qu'elle aurait bien aimé vivre dans cette ville et qu'elle adorait son grand-père, un Italien venu de la vallée d'Aoste. Je me souviens aussi de ses yeux écarquillés quand, sans que je sois conscient de ma confidence, je lui avais dit : « Je n'ai pas de grands-parents. » C'est à son étonnement que j'ai compris que j'étais allé trop loin, j'aurais dû me taire et ne pas montrer que j'avais une famille déglinguée – ça peut faire peur.

LA MISÈRE A UN VISAGE
ET UN PRÉNOM

Je connais Annick grâce à Monique. Ce sont deux amies qui travaillent ensemble aux Restos. On s'est vus sept ou huit fois, je ne sais plus exactement. On a établi notre QG au café Le Faubourg 34 qui se trouve à l'angle de trois rues, Cadet, Richer et Faubourg-Montmartre. Ce n'est pas qu'on aime y aller – Annick ne prend rien et moi je me force à prendre un café –, c'est juste que la première fois on a choisi cet endroit, et ensuite c'est devenu une habitude. On se donne toujours rendez-vous à 8 h 30, après qu'Annick a déposé ses petits-enfants à l'école près de la rue Condorcet.

Annick a soixante-quatorze ans. Et je pense que, décidément, le bénévolat forme la jeunesse. Il faudrait se pencher sur le sujet. Femme élancée en jean, regard bleu, belle allure, avec quelque chose de timide dans son attitude, mais je ne saurais dire quoi. Annick habite Toulon. Elle vient régulièrement à Paris quand les Restos tiennent un comité au siège social. Son fils vit à Paris, et ces déplacements lui permettent de voir ses petits-enfants. Cette ancienne institutrice est bénévole depuis une vingtaine d'années, elle connaît par cœur les arcanes de l'association. À chaque fois qu'elle vient à Paris, elle m'envoie un message et l'on se voit quand c'est possible. C'est compliqué d'expliquer comment une affection naît. Un regard, un sourire suffisent. On aime se retrouver. Annick me parle de sa famille ; moi, je n'ai pas osé raconter Nadia – la peur qu'elle trouve cette quête ridicule, alors que je sais bien qu'elle ne pense pas ainsi. J'aurais dû. Je suis sûr qu'avec son expérience de la vie et son empathie elle m'aurait aidé.

Parfois, on se voit une demi-heure ; parfois un peu plus et je prends des notes.

Annick admire Monique, et cela nous rapproche. Elle me fait rire, Annick, quand on commence à parler du bénévolat. Elle me dit : « C'est comme l'amour maternel : ça pousse au fur et à mesure du temps, ça ne prend pas forcément tout de suite. »

Pour elle, ça a démarré comme ça. Elle avait une amie avec laquelle elle faisait de la gym (peut-être est-ce là le secret de sa jeunesse ?). « Elle s'occupait d'un SDF, et à chaque fois que je la voyais je lui demandais où elle en était. J'ai mis une année à me décider. Sans elle, je ne l'aurais jamais fait, je ne serais pas devenue bénévole. Plus j'allais à l'association, plus j'avais envie d'y rester. Au début, j'ai fait des photocopies, après j'ai servi le café, j'ai écouté. On se forme et on apprend tout le temps.

« J'ai rapidement compris que le bénévolat est un véritable travail. Quand on risque de manquer une demi-journée ou une heure, il faut prévenir. Je n'allais plus au cinéma. Tous les bénévoles ont cela à l'esprit : quand on s'engage, on s'engage à fond. C'est pro. Si on arrive avec un retard de cinq minutes, on a droit à une remarque. J'ai le souvenir d'une bénévole à qui cela n'a pas plu, elle a dit : "J'ai travaillé toute ma vie, ce n'est pas pour me faire disputer pour cinq minutes de retard. Adieu !" On ne l'a pas revue.

« On a chaque année un entretien annuel avec notre supérieur hiérarchique, comme dans n'importe quelle entreprise, ce n'était pas comme ça au début des Restos. Maintenant, il faut présenter des fiches de projets et même des fiches de pré-projets...

« À chaque événement – l'organisation d'un concert, d'une loterie, d'une brocante – pour collecter des fonds, on fait une fiche, avec débriefing à chaque étape. Cette fiche est agréée ou pas. C'est du professionnalisme poussé à l'extrême, ça peut embêter certains bénévoles, mais on doit limiter les risques d'erreurs – ou d'abus. On a besoin de rigueur. Tout cela est encadré et sous contrôle.

« Qu'est-ce que j'ai trouvé au sein des Restos du Cœur ? Tout ! Sur le plan humain, j'ai rencontré ce que je n'avais jamais rencontré. Des vies extraordinairement tragiques. La misère est face à moi. Elle n'est pas abstraite : elle a un visage et un prénom. Ce sont des êtres si abîmés, ils sont nés au mauvais endroit au mauvais moment. C'est vrai qu'un entourage toxique n'aide pas non plus.

« Tous les mardis, on se réunit pour partager nos expériences. C'est nécessaire : on débriefe pour ne pas se retrouver seul à tenter de comprendre comment on aurait dû faire, comment on aurait dû penser. C'est aussi pour partager nos peines, nos doutes, notre impuissance. »

Quand Annick me parle de peine, je lui demande si une rencontre avec l'un de ces funambules de la vie l'a particulièrement marquée. Je lui pose la question mais je me dis que cela va être difficile d'y répondre – elle en a fait des rencontres en près de vingt ans, comment choisir une souffrance parmi tant d'autres ? Elle n'hésite pas un instant. Et là se produit ce moment où l'on pénètre le cœur d'un être : elle raconte sa fêlure. Quand je l'écoute, je comprends qu'elle porte en elle cette histoire depuis toujours, comme une croix. « Moustapha avait vingt ans. Il alternait les séjours en prison avec la rue. Monique me l'avait confié – c'était un cas difficile. J'avais noué des relations fortes avec lui. Trop fortes. Moustapha, c'était une petite vie de rien du tout. Il n'avait jamais eu l'amour d'une mère. Quand il était en prison, il m'écrivait des lettres déchirantes. Je me souviens qu'il m'avait affirmé : "Moi, mon petit business dans le shit, c'est rien. Mais les petits frères de la banlieue, vous verrez dans quelques années, ils vont être terribles. Des barbares." Un jour, il m'a dit : "Je ne sais pas où aller." J'ai hésité. J'ai résisté. Je ne pouvais pas lui proposer ma maison, c'était contraire à tout ce que j'avais appris aux Restos. Je lui ai dit non. Alors, il m'a demandé une chose : si je pouvais le serrer dans mes bras. J'ai dit oui. On s'est serrés fort. Il est parti heureux, cela se voyait à son sourire. Trois jours plus tard, on l'a retrouvé mort d'une overdose sur un banc près de l'église de la Trinité. J'ai culpabilisé, je me suis dit que j'avais raté quelque chose. Est-ce que j'aurais dû l'héberger ? Peut-être que j'aurais dû garder mes distances ? J'ai pleuré, moi qui pleure rarement. On se sent si impuissant.

Chaque fois que je passe devant le jardin de la Trinité, je m'assois sur ce banc, je n'oublierai jamais Moustapha. »

Je suis touché par son récit. Comment réagir face à une telle histoire, trouver les mots qui réchauffent ? Je m'entends bredouiller qu'elle n'y est pour rien, qu'elle a apporté cette douceur qui manquait tant à Moustapha et qu'il a été heureux à cet instant. Puis je me tais.

Annick possède cette capacité à se reprendre vite – j'imagine que c'est nécessaire dans son activité de bénévole. On passe d'une émotion à une autre, d'un sourire à un drame. Est-ce pour me rassurer qu'elle dit « J'ai appris à mettre de côté le sentiment de culpabilité. Quand mon fils m'a balancé que son père et moi n'étions pas de bons parents, ça m'a bien fait sourire : il ne connaît pas sa chance... »

Sans se rendre compte, Annick me parle du bénévolat comme d'une addiction. Elle me lance : « J'arrête quand je veux ! » Elle voit mon regard étonné et saisit alors le sens de ses paroles. Elle éclate de rire.

Je rentre chez moi, je relis mes notes. Un réflexe. On retient des paroles plus que d'autres, et je ne sais pas toujours pourquoi on en oublie certaines qui vous sautent à la figure après comme si elles vous attendaient au coin de la rue.

J'ai souligné ces phrases, est-ce par hasard ? « Attention, on ne fait pas ça que pour les autres. On fait du bénévolat pour soi, aussi. Il y a tout ce qu'on apprend sur les autres et sur soi-même. Ça m'a donné une force extraordinaire. Je ne crains personne ! »

« Les personnes accueillies ne me disent pas bonjour quand il m'arrive de les croiser dans la rue. Je les comprends. »

« La reconnaissance ? Je ne la cherchais pas. Mais quand j'ai quitté le relais, on m'a fait une de ces fêtes. Je ne m'y attendais pas. C'était presque trop, vraiment, je ne méritais pas ça, mais quel bonheur ! »

« Il y a des bénévoles qui font carrière, qui cherchent un statut social. Ce n'est pas très grave, ça me fait rire, c'est tout. »

« J'ai également appris à parler en public. Aujourd'hui, je peux improviser une conférence devant une assistance de 400 personnes sans avoir la boule au ventre. »

« L'assistanat, c'est un gros mot aux Restos. »

À la fin, on a parlé de Monique. On en parle chaque fois que l'on se voit, mais je ne prends pas de notes. Or, je retrouve cette phrase d'Annick à propos de son amie : « C'est une femme qui, depuis que je la connais, porte tout le monde à bout de bras. Son mari, ses enfants qui n'ont pas toujours été faciles, sa vieille mère... »

UNE CONFÉRENCE DU PHILOSOPHE

Alors que je commençais à ne plus y croire, je vois le Philosophe assis au fond de la petite salle du Longchamp, située après le comptoir. Il n'est pas seul, il est entouré de cinq hommes qui semblent être des frères d'infortune. Lui parle tel un professeur et les autres écoutent comme des élèves attentifs en hochant la tête avec approbation. Le Philosophe a l'air d'un gourou face à ses disciples. Il porte un tec-shirt sur lequel est inscrit « Je ne sais pas où je vais mais c'est mon chemin ». C'est tout lui, cette phrase : paumé et fier de l'être. Il est là comme s'il accordait son énième cours. Pour ne pas le déranger, je reste au bar. Rafik m'accueille chaleureusement. En faisant un signe de la tête vers le Philosophe, il me dit : « Je les ai autorisés à rester jusqu'à 10 heures, après je prépare la salle... Au fait, votre Philosophe m'a dit que c'est vous qui preniez en charge les six cafés. C'est vrai ? » J'ai souri.

Je me suis approché sans être vu pour écouter le cours. Bien sûr, il est question de Rousseau. « La société est mauvaise, elle corrompt les hommes. L'homme qui vit en société – doit-on dire avec les autres ? – est corrompu, au contraire de l'homme de la nature qui est isolé : il n'y a que l'homme seul qui soit bon. Donc Rousseau prône la solitude… » C'est décidément une idée fixe chez lui.

Le Philosophe allait poursuivre son discours quand l'un des cinq « élèves », le plus jeune de la compagnie, qui ne devait pas avoir vingt ans, lève la main comme à l'école, et comme à l'école, il n'attend pas l'autorisation du prof. « Oui, mais on ne peut pas vivre sans les autres, c'est impossible. Sans les autres nous ne sommes rien, on peut pas exister… », dit-il non sans bon sens. Je sais que ce genre de remarques qui contredisent sa démonstration attisent le Philosophe. Il a toujours un argument. Ça ne manque pas. « C'est vrai, lui répond-il avec une bienveillance que je ne lui connais pas. Quand Rousseau écrit que l'homme de la société est "mauvais", c'est "faux" qu'il faut entendre. Les rapports humains dans cette existence sociale sont faussés. Ce sont ces rapports factices, cette importance accordée à l'apparence et non à la vérité que Rousseau dénonce. »

Le jeune acquiesce d'un mouvement de tête, l'air pénétré.

Le Philosophe continue de parler de Rousseau, et j'ai le sentiment qu'il parle de lui. Est-ce parce qu'il ne me voit pas ? C'est la première fois que je comprends les clés de son choix, cette existence dans la marge. Sa fêlure. Il dit que Rousseau a fui l'humanité parce que, justement, il sait qu'il ne peut exister comme il le voudrait, ou plutôt parce qu'il trouve chez autrui et dans la société un monde qui le « dénaturalise », qui le fait sortir « hors de soi ». La société telle qu'elle est l'oblige à se montrer tout autre qu'il n'est, à commettre des actes où il ne se reconnaît pas. Il préfère chercher la vérité dans la solitude.

Je ne connais pas toute l'œuvre de Rousseau, mais j'ai bien l'impression que mon Philosophe extrapole un peu. Il ajoute, histoire d'enfoncer le clou, que pour Rousseau on peut lier le sentiment d'existence à la solitude, malgré les autres et le monde, car c'est un sentiment *intérieur*. Le sentiment d'existence est ancré au plus profond de soi, d'où cette quête d'isolement, ce retrait par rapport aux jugements.

Pris dans une sorte d'euphorie, le Philosophe se lève tel le gourou qu'il est en train de devenir et clame : « Rousseau a écrit : *Jamais je n'ai tant existé, tant vécu, tant été moi que lorsque j'étais seul. J'ai appris par ma propre expérience que la source du vrai bonheur est en nous.* Voilà ! » Il se tourne comme s'il avait senti mon regard posé sur lui et me voit. Il m'offre un sourire, et cela me suffit à comprendre une part de son mystère.

PASSAGE FAUGIER

Je me suis organisé pour pouvoir aller à Lyon. Avec une confiance qui m'a toujours dérouté (je n'ai pas l'habitude), Annick s'est démenée pour me permettre de me rendre au centre où Nadia a travaillé. Je vais observer une formation pour les bénévoles. Ils doivent tous passer par un stage d'accompagnement, car aider n'est pas si simple. Il ne suffit pas de donner, d'être généreux, d'avoir le cœur sur la main. Il y a des attitudes d'écoute qu'il faut bien apprendre. Toujours ce souci de l'efficacité, aux Restos.

Ça m'intéresse de savoir comment s'y prendre – et d'imaginer Nadia en formation. Je ne savais pas que tous les bénévoles des Restos du Cœur devaient passer par ce stage. Les notions d'aide me semblent évidentes, alors que c'est tout un art. Un grand programme avec des questions telles que : qu'est-ce que l'accompagnement ? Quelles sont les attitudes d'écoute ? Quelles sont les limites personnelles pour ne pas tomber dans l'excès affectif et risquer de se perdre à aider ? Ça m'est déjà arrivé : je culpabilise si je n'aide pas. J'en fais trop.

Et le pire est que je n'aime pas être aidé. Je ne sais pas recevoir.

Le passage Faugier est une petite rue à l'écart, à une demi-heure à pied de la gare de Lyon-Perrache – il faut traverser le Rhône. C'est là que se trouve le relais des Restos du Cœur qu'évoquait Germain. Dès que j'arrive, je découvre une cour où discutent quatre personnes assises sur des palettes ; une femme d'une trentaine d'années, bien enceinte, tient deux gros sacs qui débordent de vêtements – je me demande comment elle va pouvoir marcher avec tout ça ; un homme pousse un lourd caddie, il porte une chaussure différente à chaque pied.

À l'intérieur, à droite de l'entrée, le « coin café » – c'est écrit sur la porte –, on peut y rester quelques minutes ou quelques heures, y parler ou non, se confier ou pas. Dès qu'on ouvre la porte du centre, un escalier de face conduit à l'étage : une petite bibliothèque, un coin cuisine, des tables et la salle où se déroule la formation, des cartons remplis de vêtements jalonnent le couloir. Je sens la présence de Nadia. Je sais que c'est irrationnel. Je deviens fou.

Je tente de photographier dans ma tête chacun des éléments de ce centre, de conserver des images pour plus tard. Je pense que, peut-être, Nadia a marché ici, s'est assise là, a pris un café, a échangé avec des collègues bénévoles ou des inconnus. L'adresse me fait sourire, « passage » Faugier, ce centre n'est-il qu'un chemin vers autre chose ? Le destin joue avec les mots.

Nous sommes dix stagiaires, le thème principal est « Accompagner aux Restos du Cœur ». Géraldine et

Catherine, deux formatrices dynamiques et expérimentées, tentent de faire en sorte que partout en France les bénévoles aient bien à l'esprit l'éthique et les règles qui régissent l'association créée par Coluche, dont le sourire orne presque tous les murs.

J'aime profondément ce stage. On parle de l'importance des mots. Ce n'est pas qu'une question de sémantique : si l'association a abandonné le terme de « bénéficiaires » pour imposer ceux de « personnes accueillies », c'est pour donner du sens. Les mots créent la fonction, entrent dans l'esprit, dessinent la couleur de la relation. Je trouve un réconfort à entendre cela.

Durant la formation, je découvre toutes sortes de métiers. Le bénévolat est une terre d'activités diverses et variées. Bien sûr, donner « juste à manger et à boire / un peu de pain et de chaleur » est primordial, mais j'apprends que depuis la naissance des Restos il faut autre chose, symbolisé par les Relais du Cœur.

Il y a ceux qui proposent des soutiens scolaires, ceux qui sont « inscripteur-orientateur ». L'un est responsable départemental, l'autre est « référente-aide à la personne » et se dit « polyvalente », cela veut dire qu'elle s'occupe aussi bien de l'accueil que de la distribution.

On fait un petit tour de table avant de démarrer, histoire de se présenter.

« Moi, je suis là parce que je veux être à l'aise avec les personnes accueillies », dit Marlène, ravissante brune de trente ans qui a peur de s'impliquer trop émotionnellement et veut se protéger. C'était pareil quand elle enseignait à Bondy, en zone d'éducation prioritaire – un drôle d'énoncé pour dire que c'est plus difficile qu'ailleurs.

Cette hypersensible y mettait trop de cœur. Sa douceur, que son regard vert ne peut dissimuler, passait pour un manque d'autorité. Ça devenait trop dur de tenir une classe qui se trouvait déjà à l'abandon depuis le cours préparatoire ou même la maternelle. Elle a dû arrêter le métier de ses rêves, sa vocation. C'était ça ou crever. Elle est retournée vivre chez ses parents, et depuis qu'elle est bénévole elle se sent plus épanouie – l'impression d'être utile. Elle a repris une formation en psychologie. La partie du stage sur les « limites personnelles » l'intéresse particulièrement.

Jocelyne, plus âgée, la cinquantaine, l'air de toujours sourire, abonde : « Moi aussi, j'ai tendance à trop m'impliquer. Je faisais de la distribution accompagnée, de l'aide juridique et des cours de français... J'ai craqué. J'ai failli abandonner. » Je n'ose leur poser une question : pourquoi font-elles tout ça ? On peut se perdre à vouloir sauver le monde. Je pense à Nadia.

Béa étonne par son parcours. Elle est à la fois bénévole et personne accueillie. C'est une funambule : elle est aidée et elle aide. Cela existe aux Restos, mais la règle est claire : on est aidé dans un centre et bénévole dans un autre – on ne peut pas être les deux à fois dans le même centre, ça risque de créer des problèmes. À vingt-neuf ans, sa vie est déjà jalonnée de mille embûches.

Mireille doit avoir soixante ans, elle est aux Restos depuis dix ans, à Vénissieux. On la sent à l'aise, joviale. Avec les bénévoles de son centre, ils ont réalisé une idée géniale, qui sera sans doute reprise au niveau national : le bus du droit, en association avec le barreau de Lyon. Le constructeur PSA leur a fourni un véhicule utilitaire.

Avec son équipe et une avocate, elle se déplace de village en village. Les problèmes de droit sont les plus épineux. Quand on n'arrive pas à s'y confronter, ils bloquent toute aide. Et personne n'est vraiment à l'aise avec l'administration et la justice, les pauvres encore moins.

Clémence, quadragénaire, cheveux tirés en arrière, grosses lunettes rondes, look soigné, impeccable comme une secrétaire de direction, s'occupe d'un atelier de français, donne des conseils pour décrocher un microcrédit et pour l'accès au droit. Son centre apporte également un soutien à la recherche d'emploi. « En fait, explique-t-elle, toutes ces activités créent du lien. » Pour le reste, Clémence insiste – s'adresse-t-elle indirectement à Marlène qui ne connaît pas ses limites ? – « On n'a pas d'obligations de résultats. On n'a pas à s'engager plus qu'on ne le peut. Ce n'est pas notre job. » À vue d'œil, c'est la plus pragmatique du groupe.

Jeanne, autre quadra, look à l'opposé de Clémence – elles ont pris le train ensemble et sont visiblement amies –, cheveux ébouriffés comme une lionne, chemise kaki, jean rouge déchiré au niveau des genoux, regard intense, annonce la liste impressionnante des activités dont elle a la charge au centre des Restos du Cœur, à Villeurbanne, qu'elle résume en trois mots : « Communication / Lecture / Écriture. » J'imagine que les autres ont compris ce jargon. Elle propose du FLE (elle dit « fleu »), c'est-à-dire du « français langue étrangère », de plusieurs niveaux. Niveaux 1, 2 et 3, énumère-t-elle. Elle aide les personnes accueillies à utiliser les ordinateurs, elle fait de l'informatique, mais a dû cesser faute de moyens – le centre n'a pas le matériel nécessaire.

Elle en profite pour parler d'un autre problème que les démunis rencontrent : la fracture numérique. « Ils n'ont pas accès à l'ordinateur, ils n'ont pas Internet, ils n'ont pas d'adresses mail, quand tant de démarches administratives se font désormais en ligne. Comment faire ? »

Nadège, on ne saurait dire son âge – cinquante, soixante ans, peut-être plus ? –, l'air sympathique, de ces personnes dont on aimerait être l'ami, capte l'attention de tout le groupe en parlant de l'activité qu'elle a mise en place dans le centre de Clermont-Ferrand : « Je m'occupe d'envoyer les gens en vacances », raconte-t-elle devant les yeux surpris de la formatrice. Elle en sourit. Je lui demande quel effet cela fait pour ces personnes de partir un peu, de voyager, de prendre le train ou le bus, peut-être l'avion ? « C'est merveilleux, me répond-elle, fantastique, je ne pensais pas que c'était à ce point-là. Avec les vacances, les familles que nous avons accompagnées étaient tellement heureuses. Vous auriez vu leur visage ! Au retour, elles retrouvaient le sourire. Et même, pour certains, un job ! Incroyable ! » Son enthousiasme fait plaisir à voir. Je la comprends. Je comprends ce que c'est que de pouvoir partir l'été. Quand j'avais seize ans, le Secours populaire m'a aidé à aller en vacances, c'est grâce à l'association que j'ai découvert Bourg-Saint-Maurice, Saint-Malo et Annecy – ces villes tiennent une place forte dans ma mémoire, et il m'arrive encore d'y retourner. J'appréhendais les premiers jours de la rentrée des classes, quand il fallait raconter son été. Ce que j'ai dû inventer.

Nadège est en plus chargée d'une activité plus traditionnelle : « Je tiens le bar », s'amuse-t-elle à dire en sachant qu'elle va provoquer les formatrices. Ça ne tarde pas : « On doit dire le "coin café", ce n'est pas un bar », s'insurge Géraldine. « Je sais, je sais, rit Nadège, mais ça ressemble vraiment à un bar, je n'y peux rien. » Et elle enchaîne : « Dans le bar, pardon, dans le "coin café", j'écoute les gens, j'entends les doléances. Je suis venue en stage pour apprendre tous les types d'écoute : ouverte, active. Ça m'intéresse d'évoluer. » Elle travaille au centre de Clermont-Ferrand, rue de Dunkerque, qui accueille 140 familles. Le chiffre me surprend, mais j'apprends vite que c'est « un petit centre » ! À Marseille, celui de la rue Belle-de-Mai en accueille 2 600.

Jean-Paul – « soixante-deux ans et demi, à la retraite d'EDF » – est aux Restos depuis douze années, il a géré l'antenne départementale, il a été gestionnaire, il a fait accès au droit, au cinéma... Il se donne de faux airs de désabusé.

Gégé, grosse barbe qui lui bouffe tout le visage, costaud et trapu comme un pilier de rugby, bonhomme, est du centre de Rillieux-la-Pape, il est « l'homme du terrain », dit-il, il s'occupe de l'approvisionnement alimentaire – « la ramasse », dans le jargon des Restos.

Le dixième du groupe, c'est le vieux et énergique Bob, barbe blanche, longue et fine, chevelure blanche et épaisse retenue par un catogan. Il doit avoir pas loin des quatre-vingts ans, mais l'allure dynamique – je me dis que c'est admirable qu'il continue de se former.

Les deux formatrices se présentent à leur tour. Catherine connaît l'association depuis dix-neuf ans. C'est une femme à l'air tranquille, méthodique, elle gère les documents qui nous sont donnés, apporte des précisions sur la réglementation. Elle assiste Géraldine, ex-prof de sciences et vie de la terre, aux Restos depuis le début, c'est-à-dire depuis trente ans. Géraldine a une mission dont elle ne veut pas se départir et qu'elle rappelle avec une constance qui frise l'obsession : que les règles – et surtout l'esprit – édictées par l'association soient respectées partout, dans tous les centres. Si chacun fait ce qu'il veut, ça devient du grand n'importe quoi. Que les 75 000 bénévoles ne pensent qu'à ça : agir du mieux possible. Elle me prend en aparté et me dit : « Vous vous rendez compte, ça fait près de vingt ans qu'on ne doit plus dire "bénéficiaires" et je l'entends encore. Mais les mots ont un sens. »

Elle est singulière, Géraldine, je veux dire qu'elle dénote. Elle a l'allure d'une grande bourgeoise avec sa belle chemise blanche et son pantalon de costume parfaitement repassés, sa coupe nette et ses bracelets qui blinguent-blinguent dès qu'elle bouge les mains, ce qu'elle fait souvent. « J'arrive de Saint-Raphaël, dit-elle, j'étais responsable de l'antenne départementale des Alpes-Maritimes, qui rassemble Nice et Cannes. Eh oui, dans ces villes riches, il y a aussi des pauvres et des familles dans la rue. » Son dynamisme force le respect. Elle est à l'aise, comme ces personnes qui n'ont rien à prouver. Quand je regarde Géraldine, avec sa force et son aisance, je me demande où peut bien se trouver sa fêlure – elle semble solide comme un roc.

Elle nous explique que le siège social, installé à Paris, n'est pas l'ennemi des antennes en province. Que les bénévoles du siège sont aussi des gens de terrain. Que les 400 salariés des Restos sont « top », compétents et pas sous-payés, ce qui est normal. Avec leurs diplômes, ils pourraient être mieux payés ailleurs. Ils ne sont pas là par hasard. Il faut qu'on en soit fiers.

Les Restos fonctionnent comme une entreprise, une grande entreprise – comment le dire autrement quand on « gère » 75 000 bénévoles et 400 salariés. Une grande société, avec ses lourdeurs administratives, les plaintes du « terrain », les petites ambitions et les grandes âmes.

JE CHERCHE SA VOIX,
QUELQUE PART

Ici, passage Faugier, je tente de retrouver Nadia qui m'échappe chaque jour un peu plus. Je traverse une période de doute et je me vois agir comme je déteste le faire : vivre dans le passé. Si un homme avait agi comme moi, à penser à un amour de jeunesse, je me serais bien moqué de lui, je l'aurais exhorté à passer à autre chose. On ne poursuit pas un fantôme. On ne confond pas l'amour avec l'illusion de l'amour. J'en suis là, franchement pathétique. Mais je ne peux faire autrement. Il faut que je retrouve quelque chose que j'ai perdu avec Nadia. Sinon, je n'avance pas. J'ai le sentiment confus d'avoir un compte à régler. Mais avec qui ?

J'en suis là de mes pensées quand la formation démarre sur les notions d'accompagnement.

Depuis quelques années, les Restos sont passés de la distribution simple – le bénévole restait derrière son guichet – à la distribution accompagnée : cette fois le bénévole se rend avec la personne accueillie dans les différents rayons. Cela prend plus de temps, mais est propice à la création d'un lien, à des échanges.

Des mots sont lancés pour dire ce que nécessite un bon accompagnement – calme, écoute, patience, tolérance... Puis Géraldine souligne le risque premier : faire à la place de l'autre. Elle prononce ces mots avec une telle conviction : « Moralement, on ne peut pas être à la place de la personne accueillie. Notre rôle est de comprendre la douleur de l'autre sans endosser sa douleur. » Mais pourquoi cherche-t-on à aider une personne malgré elle ? En une phrase, Géraldine résume ce que j'ai toujours ressenti sans l'exprimer aussi clairement : on ne peut accompagner et aider une personne que si elle est d'accord. En amour, cela doit sans doute être pareil. Je n'arrête pas de penser à Nadia. Si elle m'avait aimé, si elle éprouvait encore un sentiment pour moi, n'aurait-elle pas cherché à me retrouver, à me faire signe, juste comme ça, pour avoir des nouvelles, pour savoir ce que la vie a fait de nous ? Pourquoi est-elle invisible ?

Géraldine nous propose une sorte de jeu de rôle avec différentes situations. En petits groupes de cinq, on imagine ce qu'il convient d'écouter, de dire, de conseiller. L'exercice montre à quel point il est difficile d'accompagner sans mettre une partie de soi en jeu, sans avoir des idées préconçues, sans commettre d'erreurs. C'est comme écrire pour un autre ou sur un autre. Combien de biographes se cachent derrière l'objet de leur biographie ?

On rentre dans le concret. À partir de discussions avec les uns et les autres, la formatrice assène ses recommandations.

« À l'accueil café, vous ne donnez pas des bonbons aux petits – c'est tellement tentant –, vous les donnez à la maman qui les donne à son enfant, si elle le souhaite. » « Il faut bannir le "je" – *JE vous donne...*, *JE n'ai plus de pâtes...* », dit Géraldine. Elle ajoute : « Vous ne donnez rien, vous, ce sont les Restos qui donnent grâce à des mécènes et à la bonne volonté des gens. »

Sans que je m'y attende, une joute s'engage entre Jean-Paul et Géraldine. Je ne sais pas comment ça a commencé, mais d'un coup Jean-Paul balance, yeux par-dessus ses lunettes : « Coin café ou bar, distribution accompagnée ou pas, bénéficiaires ou personnes accueillies, tout ça, c'est de la sémantique. Moi, je suis terrain, toi, tu parles comme dans un beau livre. » Géraldine s'emporte, répète pour la dixième fois : « Mais les mots ont un sens ! » J'ai envie de la soutenir, mais je garde mon jugement pour moi. Jean-Paul attend que je réagisse – je le sens à son regard –, il sait que j'écris, que j'accorde de l'importance aux mots, évidemment. Je me demande s'il ne cherche pas à me provoquer.

La formation reprend. On s'interroge : jusqu'où peut-on aller dans le soutien d'une personne en difficulté ? Ne faut-il pas la secouer, parfois ? Y a-t-il des limites ? Marlène réagit en souriant : « Il faut secouer, mais avec bienveillance... » Béa ne rit pas. « J'ai vu une collègue bénévole insister pour aider un homme démuni que ça en devenait du harcèlement. Lui ne venait que pour prendre son café tranquille, rester quelques minutes, puis partir. Il ne voulait rien d'autre. À cause de l'insistance de ma collègue à vouloir l'aider à tout prix, il n'est plus revenu. » Tout le monde comprend que chez Béa l'empathie à l'égard des précaires est profonde, elle se met facilement à leur place.

On en vient à une partie que je trouve passionnante, l'importance du non-verbal dans une relation, que Géraldine résume par un drôle de sigle : VRP. Cela n'a rien à voir avec le commercial (ou peut-être que si, finalement). VRP, ici, signifie Voix / Regard / Posture. Géraldine s'appuie sur une étude psychologique : dans un échange, les mots comptent pour 7 %, le ton de la voix pour 38 %, et tout le reste, c'est-à-dire 55 %, c'est le non-verbal qui fait la relation. Les gestes, les postures, les expressions faciales, le regard, le rythme de l'élocution, l'odeur, le toucher... Tout cela parle plus que des mots. On peut dire « bonjour » de mille manières, de la meilleure – avec un sourire et un regard bienveillant – à la pire – sans un regard et avec une moue dégoûtée. « Le rire et la souffrance sont les expressions non verbales les plus courantes », est-il indiqué dans un document que Catherine nous remet.

La plupart des bénévoles ont une dizaine d'années de pratique. Moi, j'écoute. C'est fascinant. Je me demande où on apprend de manière aussi approfondie l'art de l'écoute. Tout le monde croit savoir le pratiquer. Mais tout le monde commet des erreurs. Je pense encore à Nadia – c'est sûr que sa façon de ne pas être intrusive, de s'effacer, donnait confiance à ceux qui voulaient lui laisser leurs mots. Nadia était une artiste du silence.

La preuve, je n'arrive pas à l'entendre. Je cherche sa voix, quelque part.

On rappelle les règles de base, celles que l'on oublie souvent : de la bienveillance – c'est la qualité la moins partagée au monde –, dire des paroles positives, mettre de côté les mots qui blessent. Je retiens ceci : l'importance de la reformulation, c'est l'accusé de réception qu'on a bien compris, et qu'on n'a pas interprété un propos. La reformulation est un « outil » fondamental, nous assène Géraldine. Pour accompagner une personne de façon efficace, il faut être capable de bien saisir ce dont elle a besoin et vérifier auprès d'elle en REFORMULANT. Un exemple nous est donné : « Si nous comprenons bien, vous nous demandez de vous aider à répondre à ce courrier ? C'est bien cela ? » La reformulation permet aussi de garder une distance salutaire, de ne pas se laisser atteindre par les émotions de l'autre et de ne pas se substituer à lui pour agir. Bien sûr, il convient de reformuler avec le langage de la personne accueillie. « On utilise les armes de la négociation commerciale », me souffle Marlène en s'approchant de moi. Je me rends compte qu'elle m'attire. Mais je garde une réserve. Le problème est que cette réserve l'attise, comme si elle voulait à tout prix tester son pouvoir de séduction, voilà sa fêlure. Visiblement, elle n'a pas l'habitude qu'on lui résiste, et moi je fais de la résistance passive – je suis piégé.

Une contradiction survient, c'est Jocelyne, elle est en face de moi. « Dans le centre, on a 80 % d'étrangers, comment leur parler ? Comment reformuler ? » « Mais il faut aller voir le CADA, ils peuvent vous aider », lui répond Mireille. « C'est quoi le CADA ? » « Le Centre d'accueil des demandeurs d'asile. Ils ont des traducteurs. Mais nous, on utilise Google Traduction », dit Nadège.

« Je dialogue à base d'images », intervient Jeanne. Elle a créé une sorte d'imagier, qu'elle nous montre. C'est génial. Comme si elle avait inventé un langage. Jeanne dit aussi qu'elle recourt aux enfants pour qu'ils traduisent à leurs parents. Alors, je pense à ma mère, au temps où j'essayais de lui expliquer ce que voulait nous dire la voisine / le prof / l'assistante sociale. Ou l'huissier – je n'en parlerai pas, mais ça m'a toujours poursuivi, cette peur de l'huissier. On est fait aussi de ce qu'on ne veut pas dévoiler. Maintenant, quand je me remémore ces moments à assister ma mère, je me dis qu'un gamin n'a pas à vivre ce genre d'histoire d'adultes. Chez nous, on dépassait vite l'âge de l'insouciance.

J'avais six ou sept ans, nous étions encore au pays. Ma mère était d'une humeur joyeuse. Elle avait des grappes de raisin et des abricots à m'offrir, quelqu'un de la famille les avait apportés – un oncle ou un cousin, rien n'a jamais été clair chez nous. Ma mère me conseille d'aller les manger dehors. J'étais surpris, elle qui avait toujours prôné la discrétion. Je lui demande pourquoi il faut aller les manger dehors. Elle me répond : « Pour que les gens voient bien que nous n'avons pas faim. »

QUELQU'UN A-T-IL ENTENDU
PARLER D'ELLE ?

Pendant le moment de pause, je descends à l'accueil. Je n'ai toujours pas parlé de Nadia. Elle est passée à Lyon, mais est-elle restée longtemps ici ? Quelqu'un a-t-il entendu parler d'elle ? Tout le monde finit par se connaître dans ce milieu associatif. Je vois la femme de ménage du centre. Qu'est-ce qui me pousse à lui parler ? Sans doute le fait que, peut-être, elle aurait croisé Nadia. J'ai l'impression de chercher un fantôme. Je vois d'abord que cette femme est étonnée et marque un recul. Elle a la peau mate – une Sud-Américaine ? – et des yeux noirs pétillants que l'on ne voit que si l'on se rapproche d'elle. Elle me dit : « C'est marrant que vous souhaitiez me parler. Même ici, personne ne me voit. » Puis arrive ce moment où je ne suis jamais à l'aise : quand on me pose une question. « Qu'est-ce qu'elle représente pour vous, Nadia ? » me demande-t-elle. Je reste bouche bée. Elle connaît donc Nadia. Je ne sais pas quoi lui répondre. Elle me glisse un bout de papier sur lequel elle a écrit une adresse et un numéro de téléphone. Et moi, je m'en veux de ne pas lui avoir demandé son prénom.

C'est un peu chamboulé que je retourne à la formation. Je dois me remobiliser. Dans le groupe, Béa attire l'attention avec sa double casquette. « Quoi de plus beau qu'une personne accueillie qui devient bénévole ? Ça fait vachement de bien ! » s'enthousiasme Géraldine. Elle m'intrigue, Béa. Je pense à Nadia, elle aurait fait la même chose si elle avait pu, j'en suis sûr.

En aparté, Béa me raconte la première fois où elle est passée d'une personne aidée à une personne qui aide. « C'était un lundi, me chuchote-t-elle comme si elle ne voulait pas que les autres entendent. J'avais une trouille terrible. J'ai hésité à me rendre au centre où je commençais mon travail de bénévole. J'y suis allée la boule au ventre. Mais j'aurais donné tout l'or du monde que je n'ai pas pour être utile. Quand je suis arrivée, le responsable était étonné. Il a lâché, sans se rendre compte qu'il pouvait me blesser : "Je ne pensais pas que tu viendrais." Eh bien si. »

Avoir confiance en soi, c'est passer par-dessus le doute des autres.

On en vient à un sujet sensible. Combien de fois ai-je entendu que pour se sentir mieux il serait bon d'aller voir la misère du monde ? Géraldine s'insurge contre cette façon de penser. Elle martèle : « Devenir bénévole aux Restos n'est pas une thérapie pour déprimés. Ne venez pas avec vos problèmes. Votre rôle est primordial. Ne mettez pas en difficulté les personnes accueillies. »

Le mois dernier, j'ai lu les dernières pages d'un magazine qui donnait des conseils psychologiques à ses lecteurs. Une femme de cinquante-cinq ans se plaignait qu'elle n'allait pas bien, qu'elle se sentait seule même si elle était mariée, qu'elle allait tout droit à la dépression. La psychologue du magazine lui a préconisé de s'inscrire dans une association caritative, comme cela elle verrait toute la pauvreté dont notre société regorge et se rendrait compte à quel point elle avait tout pour être heureuse. Une psychologue, ça ? J'ai mis le magazine à la poubelle. J'en ai parlé à Jeanne, elle en était outrée et m'a balancé : « Le bénévole ne vient pas aux Restos pour se refaire une santé. »

Quand j'ai rencontré Monique à Paris, elle m'a expliqué qu'elle avait souvent affaire à ce genre de personnes – elles ne restaient jamais bien longtemps.

LES PAROLES MALHEUREUSES

Écouter, observer, interroger en respectant le rythme et les silences, en évitant de poser des questions intrusives... Pas facile, tout ça. Jocelyne en témoigne. « Oh la bourde que j'avais commise : cela faisait la cinquième ou sixième fois que je voyais Berthe, une trentaine d'années, deux enfants en bas âge, on commençait à créer un lien. Un jour, elle me confie, avec une toute petite voix à peine audible – un chuchotement –, que son mari est incarcéré à Fresnes depuis trois mois. Elle vient aux Restos pour bénéficier d'une aide alimentaire. C'est juste en attendant, il va sortir bientôt, c'est sûr. Et moi, au lieu d'écouter son désarroi, elle voulait parler, je l'interromps bêtement pour lui demander ce que son mari a bien pu faire pour se retrouver en prison. Elle ne m'a plus jamais adressé la parole ; quand elle me voyait, elle fuyait. »

Pour ne pas laisser Jocelyne seule avec ses bourdes, Clémence ajoute la sienne : « Eh bien, moi, une fois, sans réfléchir, je me suis permis une réflexion idiote à la lecture du dossier. J'ai dit à la personne accueillie : "Ah oui ! Cinq enfants de cinq pères différents ! Quand même !" La femme a repris son dossier et s'en est allée, vexée. Je ne savais plus où me mettre, ni comment m'excuser et rattraper le coup. Surtout que j'ai trois enfants de trois pères... » En l'écoutant, on se dit que cette Clémence qui a l'air tirée au cordeau avec son look de secrétaire de direction n'a pas une vie si rangée...

Les anecdotes amènent d'autres à se confier sur leurs moments de solitude. « Ça me rappelle cette femme qui choisissait des boîtes de conserve lors de la distribution, raconte Nadège. Elle avait lâché : "Mon chien adore ça !" J'ai cru bon de lui dire qu'on ne donnait pas des aliments pour qu'ils se retrouvent dans la gamelle d'une bête – j'ai même envisagé de les reprendre. Ma responsable de centre m'a rembarrée : elle m'a dit que la personne accueillie faisait ce qu'elle voulait de ses boîtes de conserve ! »

« C'était à l'époque où j'étais travailleuse sociale, se souvient Jeanne, la quadra au look tout feu tout flamme. Ma responsabilité consistait à soutenir les personnes qui souhaitaient développer des projets pour s'en sortir. Quand quelqu'un rencontrait des problèmes, je devais supplier la direction pour trouver l'aide nécessaire. Un homme d'une cinquantaine d'années que j'avais déjà reçu est revenu me voir, il était indigné. Il m'a dit, les larmes aux yeux : "Si vous voyiez ce qu'ils m'ont donné : un matelas usé et sale, rempli de taches ! Et ce n'est pas ça qui m'a vexé, non, c'est que quand je leur ai fait une remarque, on m'a dit que celui qui mendie ne choisit pas. Je me suis senti humilié." » Jeanne marque un temps. Elle retient son émotion mais ne peut rien contre un léger tremblement aux coins de ses lèvres. Elle respire un bon coup, puis ajoute : « Je ne pourrai jamais oublier le regard de cet homme – cela remonte à cinq années et je m'en souviens comme si c'était hier. Nous étions complètement à côté de la plaque avec notre air supérieur parce que nous aidions. »

On est un peu marqué à l'écoute de cette histoire. Jeanne est encore émue. Clémence, sa copine quadra au look soigné, lui met la main sur l'épaule. Et ce petit geste empli d'une immense tendresse, on a tous envie de le faire, de mettre notre main sur l'épaule de Jeanne, de lui dire que ça nous arrive à tous de laisser s'échapper des paroles malheureuses.

Géraldine nous recentre sur la formation, elle en profite pour dire qu'il ne faut jamais oublier que les personnes accueillies sont déjà fragilisées dans leur situation, elles sont à fleur de peau. Le moindre mot malheureux agit comme un poison. Elle regarde Jeanne et lui fait un sourire complice, et s'il existait un sous-titre à ce sourire, on aurait pu y lire : « Tu sais, même avec ma vieille expérience, ça m'est arrivé aussi. »

Dans la séquence qui débute à 16 heures alors qu'on semble tous épuisés, sauf le vieux Bob, on commence à saisir ce que l'accompagnement impose : accepter l'autre dans ses différences. Le bénévole a un « cadre de référence », c'est-à-dire une manière de vivre, de penser, une culture, une mémoire à lui. Une vision du monde. La personne accueillie a la sienne, qui est forcément différente, ô combien. Comment on aide avec toutes ces différences ? Comment ne pas imposer sa vision ?

Il est question d'un mot que j'aime : l'altérité. Je n'ai

pas toujours bien su le définir, y mettant tout ce que je voulais, ou presque – l'altruisme, la générosité, l'échange. Sa définition est pointue : « État, qualité de ce qui est autre, distinct », me dit brièvement le Petit Larousse.

La formatrice nous prévient. Aux Restos, on parle d'« écoute active ». Dans ce moment-là, je dois mettre de côté mon « cadre de référence » et je suis à l'écoute, totalement à l'écoute. Il y a l'oreille absolue, et il y a l'écoute absolue. Tout ce que dit Géraldine me fait penser à mon métier de recueillir des récits. C'est la même attitude à adopter : se mettre de côté pour laisser toute la place à l'autre. Il faut s'effacer, faire abstraction de soi, mettre son ego dans sa poche, ne pas intervenir avec ses idées, ses pensées. Ne pas laisser ses émotions altérer la relation. Ce n'est pas chose facile – on est parfois tenté de parler de soi, mais ce n'est pas le lieu.

Pense-t-on à l'autre au moment où nous lui parlons, où nous le regardons ? C'est compliqué une relation, au début. Dans tous les domaines : le travail, les nouvelles connaissances, la rencontre avec la famille de l'autre, l'amitié, l'amour – on charge la relation de tant de choses, c'est le nid des futures désillusions. On y met beaucoup de soi sans s'en rendre compte. On voudrait plaire. Sommes-nous vraiment nous devant l'autre ? Est-ce qu'on ne joue pas un rôle ? Toutes ces pensées me renvoient au Philosophe. Il me manque. Il m'aurait aidé, avec son Rousseau et tout ce qui nous pollue lorsque l'on se soumet au regard des autres.

On en vient aux limites personnelles. Le sujet est attendu. J'entends que les situations où un bénévole peut se sentir vulnérable sont les moments où il est en présence d'une personne âgée, une mère seule, un étranger. Autant dire que cela arrive souvent. On peut se sentir épuisé à voir toute la misère du monde. « On s'use », me résume Jocelyne. « Il vaut mieux reconnaître ses faiblesses plutôt que de se mettre en danger, conseille Géraldine. Il faut que les personnes accueillies comprennent bien que vous n'êtes pas à leur disposition 24 heures sur 24. Certaines sont en demande permanente. Il faut savoir gérer ça, savoir dire non. » Je tends l'oreille.

Béa intervient, elle semble toujours à fleur de peau. Elle nous dit : « J'ai du mal à gérer les gens agressifs. Je peux vite péter les plombs. »

Les deux formatrices se relaient pour nous expliquer qu'il faut renoncer à l'idée de toute-puissance. C'est inconscient, mais on se dit : « Je suis celui ou celle qui peut tout. » Non, martèle Géraldine, il faut vraiment prendre du recul, c'est-à-dire ne pas TOUT prendre pour soi. Et elle affirme ceci, qui me semble d'une force rare : il faut résister aux appels au secours. Mais est-ce toujours possible ?

On ne peut pas aller aux Restos du Cœur en étant soi-même en souffrance. J'entends ça à plusieurs reprises, et qu'il faut mettre son ego dans sa poche. Cet effacement de soi est hors du temps, désuet. À un moment, je décroche, je n'écoute plus. Mon esprit divague... Je pense à tous ces funambules que je croise, à ces sans-voix. Et aussi à ces millions de bénévoles qui sont les vrais héros des temps modernes, ceux qui œuvrent et se cachent au sein des associations. Puis je pense encore et

toujours à Nadia. Combien de temps est-elle restée ici ?
Pourquoi est-elle partie ?

Il est 18 heures, la formation se termine. Je respire,
c'était intense. J'hésite à m'isoler pour appeler la femme
de ménage – je m'en veux de ne pas lui avoir demandé
son prénom. Je ne veux pas me couper du groupe, ça ne
se fait pas, m'aurait dit ma mère. Je profite d'un moment
où quelques-uns veulent passer à l'hôtel avant le restaurant. On se donne rendez-vous d'ici deux heures. Un
moment idéal pour moi.

À L'AUBE, CE QUI NAÎT
CHERCHE SON NOM

Je téléphone à la femme de ménage du passage Faugier. Elle a à peine décroché que je lui demande son prénom. Elle est surprise. Elle me dit : « Aube, comme dans le poème d'Octavio Paz : "À l'aube, ce qui naît cherche son nom". » Je lui dis que je ne connais pas ce poème, je sais juste que Paz a eu le prix Nobel de littérature. Elle me répond : « Si vous préférez des auteurs français, c'est comme votre Apollinaire, "De la belle aube au triste soir", ou votre Hugo, "Demain dès l'aube..." ou votre André Breton, qui a donné ce prénom à sa fille. J'ai toute la collection des "Aube". Je suis mexicaine, et mon père, qui est un fou de poésie, m'a offert ces livres. Si vous passez chez moi, je vous les montrerai – j'habite près du passage Faugier – et je vous parlerai de votre Nadia. » J'ai dû émettre un « oui » à peine audible et j'ai entendu un enjoué « Chouette, je vous prépare votre café ». J'ai dit merci et j'ai juste pensé mais pourquoi met-elle du « votre » à toutes ses phrases ? Rien ne m'appartient.

Je n'ai pas à marcher longtemps. Aube habite rue

Étienne-Jayet, à quelques pas du centre, au premier étage d'un immeuble sans charme. Je trouve qu'il y a trop de parkings à louer et d'appartements à vendre dans ce quartier. Elle vit dans un deux-pièces où se dévoilent son élégance et son goût. Je remarque tout de suite la bibliothèque où trônent des livres anciens et au moins une cinquantaine de recueils de la collection « Poésie/Gallimard », peut-être plus, parfaitement alignés avec les portraits des poètes sur la tranche. Il y a des tableaux qui mettent de la lumière et de la joie – visiblement, elle a fait de son logement un lieu où elle doit se sentir bien, se réfugier, c'est ce que je ressens en entrant. Je suis intimidé. Elle le voit et cherche à me mettre à l'aise. « Voulez-vous un café ou une boisson fraîche ? J'ai du jus d'orange, de kiwi, de fraise et de tomate », me demande-t-elle en souriant. « Je veux bien un café. »

Aube ne ressemble plus du tout à la femme que j'ai vue passage Faugier, elle est presque tout le contraire – elle avait le visage fermé ; chez elle, il est ouvert et souriant – elle rayonne. Au centre, elle arborait comme une tristesse ; ici, elle respire une certaine joie, un apaisement. Je remarque ses longs cheveux bruns ondulés – elle les avait serrés sous un fichu. Tout cela m'étonne. Et la plus grande différence est cette assurance qu'elle me montre dans son deux-pièces quand elle semblait soumise à un mauvais sort, avec sa blouse grise de femme de ménage, le balai à la main. Elle ressemble à cette actrice mexicaine, Salma Hayek, qui avait joué Frida Kahlo. Elle me surprend, Aube. Et maintenant je comprends mieux pourquoi elle aurait pu s'entendre avec Nadia : quelque chose les lie, mais quoi ?

Je ne sais si Aube entend tout ce que je pense. Elle lance la conversation en me parlant de son père. « Il est né au Mexique, à San Cristóbal de Las Casas, il a été professeur à l'université de Mexico – Paz en a été l'un des étudiants –, c'est un établissement prestigieux, un peu comme votre Sorbonne. Mais mon père voulait absolument venir en France. Il me disait que c'était le pays de la liberté et de la littérature, il a tenu à ce que j'apprenne parfaitement votre langue. Il était complètement sous le charme de votre pays, parce que l'homme de lettres y est considéré comme un dieu. Pour lui, c'était important. Mais, en vérité, je crois qu'il se trompait de siècle. Il a déchanté, et comme moi il a couru de petit boulot en petit boulot, malgré son doctorat de lettres – il n'a jamais pu obtenir d'équivalence et enseigner ici, sinon des bouts d'heures en contractuel. Il ne me le disait pas mais il était déçu. Sans compter qu'il s'est perdu dans des histoires de papiers, il n'a jamais pu décrocher la nationalité française à cause d'une grève qu'il avait menée à Mexico il y a une vingtaine d'années et qui lui avait valu deux semaines de prison ! Ça l'a poursuivi toute son existence. Il est mort il y a quatre ans. Il m'a laissé cet appartement, que j'ai du mal à quitter... »

Je vois le visage d'Aube s'attrister, et cela m'émeut. Elle a dû le remarquer, elle tente de se ressaisir. « Bon, on n'est pas là pour parler de mon père, mais de Nadia. » Puis elle me balance cette parole qui me plie comme un coup de poing à l'estomac : « Je vous connais, vous savez, votre Nadia m'a parlé de vous ! »

Aube se met à raconter, et c'est comme si nous étions

dans une bulle hors du temps. J'ai le sentiment que c'est la première fois que j'approche Nadia d'aussi près.

Aube me dit qu'elle était impressionnée par la capacité d'empathie de Nadia. Elle était aussi à l'aise avec une mère célibataire qu'avec un retraité ou une personne de toute origine – africaine, asiatique, de l'Europe de l'Est ou des gens du voyage. C'était comme si Nadia parlait toutes les langues de la vie, me précise-t-elle dans une drôle d'expression.

Un jour, elles se sont parlé un peu plus longuement, c'était quelques heures avant que Nadia parte à la demande du responsable du centre – Aube ne me dit rien sur les raisons de ce départ. « Maintenant, en vous voyant, je comprends ce qu'elle me disait à propos de vous. C'était la première fois qu'elle se confiait à moi, pourtant pas le genre à s'épancher, votre Nadia. Mais comme elle allait partir, peut-être s'est-elle un peu laissée aller ? Elle me disait qu'elle aurait eu une autre vie si quelque chose s'était passé. Vous preniez le métro avec elle et vous vous amusiez à faire toute la ligne, non ? Elle vous aimait, rien qu'à voir la lueur qui s'allumait dans ses yeux quand elle vous évoquait. Elle m'a dit qu'elle était tombée malade après que vous êtes parti. »

Je suis estomaqué. Je ne sais pas quoi dire. J'en veux à la terre entière. J'en veux à Nadia et à ses silences. Je m'en veux. Cette pudeur maladive. J'ai comme un goût amer dans la bouche, et voilà que je me vautre dans le regret, je déteste ça, ce sentiment d'être passé à côté de ma vie. Je me dis qu'à trente-quatre ans on peut déjà être foutu. J'ai des idées noires. Aube me décrypte. Elle a tout compris. Elle pose sa main sur mon épaule, et je sens sa paume me serrer, ce geste me réconforte.

J'ai oublié de boire mon café, il est froid et je me force – cette manie de ne pas gâcher, de finir un verre ou une assiette me quittera-t-elle un jour ?

Aube m'apprend que Nadia n'est restée que six mois passage Faugier. Elle faisait un superbe boulot aux Restos – elle a entendu les autres bénévoles le dire mais aussi les personnes accueillies qui avaient le sourire quand c'est Nadia qui s'occupait du « coin café ». Nadia donnait des cours de français aussi. Elle en faisait même trop, d'après le responsable du centre. Elle avait parfois du mal avec d'autres bénévoles. « Une question de jalousie, bête et méchante, parce que Nadia recevait des compliments chaleureux, les pauvres s'étonnaient quand elle était absente », m'explique Aube.

Il est l'heure de rejoindre les autres au restaurant, qui se trouve à un petit quart d'heure à pied. La question me brûle les lèvres mais je n'arriverai jamais à la poser : pourquoi Aube, si cultivée, si instruite, exerce-t-elle l'activité de femme de ménage ? Fait-elle autre chose ? Est-elle une funambule, elle aussi ? Encore un mystère. J'arrive juste à lui dire que j'aimerais la retrouver et continuer à parler avec elle, mais au fond de moi j'ai peur : je sais que le temps et l'éloignement sont des murs infranchissables, ils auront raison de mon vœu pieux. Et, comme si elle m'entendait penser, la belle Aube me dit dans un sourire où se lit le regret aussi : « Votre Nadia ne m'a plus donné de nouvelles. Elle n'aimait ni Internet ni les portables. Elle prônait une déconnexion totale avec tout ça. Elle est partie comme si elle s'était envolée. » Ce n'est pas la première fois que j'entends cette phrase.

Je reste hésitant devant la porte, comme si j'attendais quelque chose avant de partir. Je n'aime pas ce moment où l'on tient des promesses intenables. Aube le sent, et c'est elle qui m'embrasse et serre le haut de mon bras.

J'avais dix-neuf ans. J'étais à la faculté de Nanterre. Nadia avait choisi les lettres avec une option en langues. Moi, j'avais opté pour droit-sciences politiques, et comme j'avais une chambre universitaire et que j'avais le temps, j'avais ajouté un cursus en économie. C'est fou, les différences qui existaient entre les deux bâtiments. Le F-G, le mien, était sérieux, les étudiants ambitieux et sachant où ils voulaient aller – je me débrouillais, mais j'étais paumé. Le L, celui de Nadia, ressemblait à un joyeux campus, les étudiants étaient plutôt rêveurs, ne savaient pas forcément ce qu'ils allaient faire dans la vie. C'est dans la cafétéria du bâtiment L que l'on préférait se retrouver.

C'était une après-midi ensoleillée. Il n'y avait personne à la cafétéria. J'étais arrivé en avance, comme d'habitude. J'étais debout, dos à l'entrée, face à la baie vitrée, en train de contempler je ne sais quoi – l'herbe ou le ciel ? Je n'ai pas vu Nadia arriver, ni entendu son pas. Elle s'est approchée de moi, a juste posé sa main droite sur ma hanche tout en regardant ce que j'observais, comme pour me dire : « À quoi tu penses ? » Et ce petit geste m'a comme électrocuté. Des *années après, je me souviens toujours de cette intense émotion ressentie pour si peu de chose. Et je me demande encore aujourd'hui si Nadia n'attendait pas en retour que je pose ma main sur son épaule.*

« UNE SOMME D'ÉCHECS
NOURRIT LE SUCCÈS »

J'arrive au restaurant alors que tout le monde est déjà installé devant un verre. Je me retrouve assis face à Marlène – la place était vacante, s'est-elle arrangée pour qu'il en soit ainsi ? Elle me propose de choisir un apéro. Elle sourit quand j'opte pour un jus de tomate. Et me conseille le vin rouge du bistrot, exquis, dit-elle. Je ne veux pas la décevoir. Le patron lyonnais n'est pas chauvin, il m'apporte un saint-émilion. Il est excellent, en effet. Il y a du bruit et de la musique, on ne s'entend pas tous, je comprends une bribe de phrase de Marlène qui se termine par *In vino veritas*...

Très vite, comme si la séance sur les limites personnelles avait laissé des traces, le groupe continue à narrer des anecdotes où il en a bien bavé. Plus on avance dans la soirée, plus on dévoile ses failles. On s'ouvre aux autres. «Après ma rupture brutale, humiliante – je n'avais rien vu venir –, je ne voulais plus entendre parler d'homme dans ma vie. Maintenant, ça commence à passer, et j'aimerais bien partager avec quelqu'un », raconte Marlène. Elle dit cela à Béa et Jeanne, qui se trouvent à notre table, mais elle a un regard vers moi. J'ai toujours une peur panique de ce genre de situation ambiguë.

Je me tourne vers Béa. Elle dit sa fierté de servir, elle qui a été aidée, est devenue bénévole, mais a toujours besoin des Restos. « Je tiens l'équilibre comme une funambule. Pour l'instant je ne suis pas tombée, j'ai même trouvé un mec bien », sourit-elle.

J'entends en bout de table une voix grave de femme, celle de Jocelyne ou de Clémence ? « Une somme d'échecs nourrit le succès. » J'aimerais y croire.

Après le dîner, Marlène veut trouver un bar qui reste ouvert tard la nuit. Elle me demande si ça m'intéresse. Je ne sais pas pourquoi, un « non, désolé, je suis fatigué » sort spontanément de ma bouche. Je la sens déçue. Elle embarque Béa, Clémence et Jeanne.

De retour dans ma chambre d'hôtel, je téléphone à Aube qui m'a laissé un texto : « Tout va bien ? » Ça tombe bien, j'avais envie de lui parler, parce que j'étais parti de chez elle avec un sentiment d'inachevé. On discute. Sa voix est chantante, comme son accent qui transforme le « u » en « ou ». Elle a l'air contente. Elle me tutoie : « Je crois que c'est important pour toi, je me souviens que "ta" Nadia a évoqué l'idée de rentrer à Paris après Lyon, qu'elle rejoindrait peut-être les Petits Frères des Pauvres ou le Collectif Les Morts de la rue, elle était en contact avec ces deux associations. Il était même question d'un travail à temps partiel. » Merci Aube.

CES GENS-LÀ

Cela fait deux mois que je n'ai pas croisé le Philosophe au Longchamp, rue du Faubourg-Montmartre, juste en face du Palace. Je m'y suis pourtant rendu à plusieurs reprises depuis que je suis rentré de Lyon. J'ai, comme cela, établi une liste de mes cafés préférés : celui pour prendre un petit déjeuner tranquille, celui pour y travailler, celui pour y rencontrer le monde, celui pour un petit verre de vin en fin d'après-midi, celui pour y voir un match de foot le soir sur grand écran... J'ai besoin d'être à mon aise. Je peux accepter un café acide du moment que l'accueil est chaleureux.

J'ai lu quelques pages des *Rêveries* et je suis prêt à échanger avec le Philosophe. Mais il n'est pas là – Rafik voit mon désarroi. « Vous savez, ces gens-là, on ne sait jamais quand ils partent ni s'ils reviennent... », me dit-il. Je comprends ce qu'il entend par « ces gens-là » – on n'a jamais bien su les nommer –, il les connaît bien, les gens de la rue, il n'a jamais refusé de les recevoir dans son bistrot, oubliant parfois de réclamer l'addition. Il a raison, cela m'est arrivé de voir régulièrement un homme de la rue, puis de ne plus en entendre parler, et de le voir ressurgir six ou neuf mois après. Je me souviens de Dido, il disait qu'il était polonais et ch'ti et que son rêve était de retourner à Oignies, près de Lens, là où il avait posé les pieds en premier quand il était arrivé de Poznań. Il évoquait la rivière Warta – son « paradis perdu ». Ce qu'il pouvait disserter sur Oignies. « Pas un hasard que je sois tombé sur ce patelin, c'est là que sont nés Michel Jazy et Guy Drut. J'aurais pu moi aussi faire carrière en athlé, j'étais fort en course de fond, sur le 10 000 mètres », me racontait-il. Je pouvais le croiser tous les jours pendant trois mois, puis il disparaissait sans rien dire. Quand il revenait, il disait simplement « j'étais à l'hôpital » sans plus d'explication. Il aurait dit qu'il était en vacances que c'eût été la même chose.

J'avoue que le Philosophe me manque. J'aurais bien aimé percer un peu de son mystère, mais je sais que c'est impossible.

Il me laisse seul avec ma quête de Nadia. Et plus j'avance, plus je me dis que cette quête est vaine. J'ai à nouveau effectué des recherches sur les réseaux sociaux : rien, sinon des homonymes, de faux espoirs. Sur les sites où l'on peut retrouver des personnes qui ont fréquenté les mêmes écoles, sa trace s'arrête à sa sortie du lycée, sans aucune autre mention. Nadia ne s'affiche nulle part, comme si elle préférait rester invisible. Du coup, j'ai fait quelque chose de fou. Je suis retourné à Ozoir pour revoir la maison de ses parents. Ils habitaient à une dizaine de minutes à pied de la cité Anne-Frank. Signe qu'ils avaient réussi à s'en sortir, ils avaient acquis un pavillon.

Quand je retrouve la maison, c'est comme si rien n'avait changé. Je fais trois allers-retours devant le pavillon, juste pour regarder la façade, la porte et les fenêtres, et le petit jardin. Au quatrième passage, j'ose m'approcher au plus près de la grille d'entrée. J'ai peur. J'ai le sentiment d'être un voleur en repérage qui va être repéré. Quand je vois la boîte aux lettres, je reçois comme une décharge électrique : son nom y figure toujours. Pourquoi ses parents n'ont-ils pas répondu à mes courriers ?

Je prends le train pour retrouver Paris. La gare d'Ozoir n'a plus rien à voir avec celle que j'ai connue. Elle a été rénovée. Je suis déçu, c'est fou comme l'on désire retrouver les lieux où l'on a vécu tels qu'ils étaient. Je m'assois près de la fenêtre pour voir défiler les décors de ma jeunesse. Il faut que je m'y fasse : le paysage a changé.

MAX

J'ai toujours du mal avec les premiers mots. Je mets un temps fou à démarrer une conversation, à exprimer une idée. Voilà comment je commence ma première rencontre avec Max, bénévole aux Restos du Cœur depuis une dizaine d'années. JPS m'a expliqué qu'il avait une vision du bénévolat « un peu différente », ce serait bien de discuter avec lui.

Max habite Marseille, mais je le vois lorsqu'il vient à Paris, rue de Clichy. Aux Restos, il s'occupe de tout ce qui est approvisionnement et logistique. Je m'entends lui dire, en guise de première question : « Et ce qui m'intéresse c'est... c'est ce que vous êtes, vous faites, pardon... c'est-à-dire, c'est-à-dire que... euh, c'est vrai qu'il y a... moi, quand je me suis attaqué à ce sujet-là, je me suis dit c'est à la fois une grande chance pour un pays de n'avoir que des gens... Voilà. Le malheur, c'est que... » Je cherche mes mots et Max, avec gentillesse, me balance : « C'est que ça existe, le malheur ! » Nous rions tous les deux, et cela me détend.

Je peux dire que Max exerce le métier de bénévole

comme on dirige une entreprise. C'est un pro, il est carré, cru, roc. Il a l'air un peu bourru, le visage fermé. J'ai l'impression que je vais ramer pour cet entretien, mais finalement je ne lui pose que peu de questions, juste quelques relances, et il me raconte son histoire sans se soucier de ce que je peux penser de ses paroles.

Je le dis maintenant : à cinq minutes de la fin de la rencontre, Max, le dur, le boss, l'indestructible – du moins en apparence –, craque, je ne sais pour quelle raison, ça, il n'a jamais voulu me le dire vraiment. Il a été ébranlé par ma question sur la solidité de la famille. Sa fêlure est là. Il a craqué au moment même où je lui ai demandé si on pouvait s'en sortir quand vos proches vous lâchent. Il y a eu un silence, un long silence que je n'ai pas voulu briser. Des larmes ont coulé. Il s'est mis debout, a failli tomber, puis s'est retenu les deux mains agrippées au mur. J'ai cru qu'il allait faire une crise cardiaque. J'ai voulu appeler les secours, mais il a refusé. Il s'est repris.

Une interrogation peut faire écho à une vieille blessure et la raviver. Il faut que je sois plus attentif.

Au début, je n'entre jamais dans le vif du sujet. Avec Max, on évoque les raisons pour lesquelles il est entré aux Restos. « C'est pour Coluche que je me suis engagé, c'est ce qui m'a le plus poussé. Et aussi l'envie de donner un peu de soi. J'aime l'idée que ce soit une association indépendante à l'égard des politiques et des religieux. »

Pour un biographe des anonymes, Max est un « bon client ». Il parle avec une rare franchise, ne cherche pas à se mettre en valeur, ne prend pas de posture et ne pense pas que tout ce qu'il dit est intéressant – or, c'est intéressant. On discute pendant deux heures. Je l'enregistre avec son accord, de cela aussi il n'a cure. Quand je suis rentré chez moi, je l'ai réécouté, j'ai tout retranscrit. J'ai juste réalisé un travail de montage pour mettre un peu d'ordre dans tout ce qu'il m'avait raconté. Ce n'est pas si simple de rapporter les mots d'une conversation par moments décousue : on rajoute les négations, on supprime les « heu » et les « hein », mais aussi les répétitions et les hésitations, les tics de langage et les phrases inachevées ; tout ce qui révèle une personne, en fait. Les contradictions sautent aux yeux, mais il faut les garder. On compte beaucoup sur les points de suspension pour exprimer ce qu'on ne sait pas clairement. Dans ce domaine, j'admire le remarquable travail de Svetlana Alexievitch, elle a su donner une voix à des anonymes. La journaliste et écrivain biélorusse a mené des centaines et des centaines d'interviews d'enfants, de femmes et d'hommes d'une façon systématique. C'est à travers ces témoins qu'elle a raconté des événements historiques comme la catastrophe de Tchernobyl ou la guerre en Afghanistan. Je me souviens que l'Académie suédoise qui lui a décerné le prix Nobel avait expliqué que son travail est « un prétexte pour cartographier l'homme ». Ce n'est pas vraiment une histoire des événements mais une histoire d'émotions. C'est une œuvre qui touche, elle vous amène au plus près de l'humain. J'ai été saisi aussi quand j'ai découvert *Les naufragés – Avec les clochards de Paris*, le livre de Patrick Declerck. Il avait recueilli des centaines de récits de mendiants, notamment ceux qui se rendaient au centre d'accueil et de soins hospitaliers (le

CASH !), à Nanterre. J'ai rarement été bouleversé par un ouvrage qui dégageait autant de puissance et de vérité.

Florence Aubenas a effectué une plongée remarquable dans le monde de la précarité avec *Le quai de Ouistreham*, en se mettant dans la peau d'une femme de ménage pendant six mois, pour, entre autres, nettoyer des ferries qui partaient de Ouistreham pour Portsmouth. Ce livre me rappelait *Tête de Turc*, de l'Allemand Günter Wallraff, qui s'était, lui, mis dans la peau de travailleurs immigrés. C'était sidérant. J'aime ces récits parce qu'ils décrivent l'Histoire, notre histoire, à hauteur d'homme, avec de toutes petites histoires, la vraie vie.

Quand on recueille des paroles, la seule ambition est d'être juste, honnête, que ce qui est écrit ressemble à ce qui est dit – même si on réalise un important travail de restitution qui doit rester invisible. Quand j'écris, je me dis que Max doit se reconnaître. Je dois faire ressentir que quand il termine ses phrases par la formule « un petit peu » il est souvent dans l'excès. Son histoire se déroule devant moi. Je la vois presque.

« Je suis bénévole aux Restos du Cœur depuis plus de dix ans. J'ai commencé suite à une maladie... grave, très grave même : une insuffisance rénale chronique. J'ai subi deux traitements lourds, une dialyse et une transplantation. La transplantation a nécessité un suivi médical très intense.

« Il y a plein de choses que je ne peux pas faire. Il faut que j'évite de prendre le métro. Il faut que j'évite d'emmener les enfants à l'école. Il faut que j'évite d'attraper des microbes. Si j'ai une grippe, c'est quinze jours d'hôpital... Malgré tout ça, j'arrive à vivre puisque ça fait longtemps que je vis comme ça... J'arrive à m'en sortir, mais je suis un rescapé... Je suis quelqu'un qui a frôlé la mort... À mon insuffisance rénale s'est ajoutée une crise d'hypertension. J'ai eu jusqu'à 22 de tension.

« Donc, ça a commencé comme ça : je me suis retrouvé dans un lit d'hôpital pour une réanimation. Puis à subir encore ces traitements par dialyse avant d'arriver à la greffe. Tout un chemin hospitalier sur lequel on a le temps de réfléchir un peu sur soi. De revoir un petit peu, d'une façon différente, sa vie, celle des autres, les amis – les vrais et les faux... Je veux dire l'occasion de faire un point. Je me suis posé cette question : j'ai quarante-cinq ans, qu'est-ce que je vais faire ? Je fais quoi ? Je ne peux plus travailler, parce que la médecine du travail m'en empêche. Je ne peux plus travailler, mais je suis en forme, qu'est-ce que je fais ? Qu'est-ce que je fais, hein ? Alors, c'est à ce moment que je décide d'aller aider les autres. Voilà, c'est ma façon à moi de me rendre utile.

« Le premier jour aux Restos, j'ai dit : "Je voudrais bien aider les autres" On m'a rétorqué : "Qu'est-ce que vous savez faire ?" J'ai répondu : "Je sais pas, qu'est-ce que vous voulez que je fasse ?" "Ben, vous savez faire quelque chose ?" "Oui, j'ai travaillé à Marseille, j'étais chef de service sur le port, donc je peux faire de la manutention, j'ai tous mes permis pour tous les engins, et je conditionnais les palettes qui débarquaient des bateaux... Je sais remplir un camion. Avant ma maladie, c'était mon métier de remplir des bateaux et des camions."

« Au début, on se retrouve à faire ce que j'appelle le

"Va-me...", "Va me chercher ça. Va me chercher ci."
J'ai fait. J'ai rien dit. J'ai pas voulu me faire remarquer.
Même si on s'énerve un peu parce que je me disais qu'il
existe des méthodes plus simples, plus efficaces. On me
répondait : "Ah, ouais! Qu'est-ce que tu ferais, toi?"
"Ben, voilà, moi je ferais comme ça, je ferais comme
ci." "Ah, oui! C'est pas bête ça, en fait." Et puis, petit
à petit, on s'est rendu compte de mes capacités et on
m'a proposé de travailler dans un entrepôt, puis de
prendre des responsabilités. Je me suis occupé de la partie "Fraîche" pour qu'on ne perde qu'un minimum de
produits frais. J'ai mis en place un petit système infor-
matisé, juste avec un tableau Excel, pour suivre l'état
des stocks. On a vu de quoi j'étais capable, on m'a dit :
"Tu veux pas prendre la responsabilité de tout l'approvisionnement?" C'est comme cela que l'on met le doigt
dans l'engrenage...

« Finalement, l'association fonctionne comme toute
entreprise : elle repère parmi ses bénévoles ceux qui
peuvent prendre des responsabilités. On me l'a clairement dit : "Est-ce que ça t'intéresserait d'avoir des
fonctions un peu plus intéressantes ? On manque de
personnes capables d'aller négocier, on manque d'enca-
drants... Parce que, le plus souvent, les gens veulent bien
aider, mais dès qu'il y a des responsabilités à prendre,
pfff..." J'habite Marseille, je viens à Paris, au siège des
Restos, trois jours chaque quinzaine, parce que j'ai des
documents à signer, je suis responsable du service, ici.
Donc, il faut que je vienne, je ne peux pas faire autrement, c'est une gestion lourde... je ne peux pas tout faire
par mail, ce n'est pas possible. Les vendredis, je vais au

ministère de l'Agriculture, il faut que je sois physiquement présent. Il faut assumer tout ça.

« Je ne m'imaginais pas prendre tout ce travail avant que ma maladie ne se déclare. Non, non, non. Il faut dire que j'étais déjà dans un boulot très prenant, j'étais responsable de toute la partie accueil maritime à la SNCM, de tôt le matin à tard le soir, j'accueillais les passagers qui viennent de l'Afrique du Nord. Vous connaissez Marseille ? Vous savez que pour l'Algérie, la Tunisie on passe par Marseille. On en remplit des bateaux, les passagers viennent avec ou sans voiture. Je m'occupais des cargos, puis du fret... Il y a eu un tel développement. Je faisais plus de cinquante heures par semaine. Quand j'ai eu mon pépin sur le lieu de travail, on m'a remplacé par trois personnes.

« Je commençais à 7 heures du matin et finissais à 20 heures. Ça fait long, hein, toute la journée. Ils m'appelaient le week-end s'il y avait un problème grave – si un bateau arrivait en retard, après minuit on ne peut pas le faire sortir pour des questions de réglementation.

« Il fallait faire des économies, négocier avec les douaniers, les flics et les dockers, pour qu'on puisse tous travailler ensemble. Un travail de relations publiques qui m'a fait mal. Je mangeais tous les jours au restaurant, sans compter les apéritifs avec les douaniers l'après-midi, et les policiers, le soir. Ça m'a abîmé, tout ça.

« Mais, attention, je ne regrette rien. J'étais tout à fait d'accord pour le faire, j'ai accepté, j'étais bien payé. Et puis j'ai eu de la chance, quand même, de pouvoir maintenir mon salaire en invalidité jusqu'à l'âge de la retraite.

« Voilà comment j'ai attaqué ma petite vie de bénévole

lambda. En quatre ou cinq ans, je suis devenu responsable de l'association départementale des Bouches-du-Rhône.

« Mais, au départ, je dois dire que quand j'ai eu ma maladie, je ne pensais qu'à une seule chose : survivre. Hein, le premier temps, c'est survivre... J'ai survécu. Je me suis retrouvé un petit peu, je me suis renfermé. Je ne suis pas mort, il faut que je mange, il faut que je boive, il faut que je vive. J'ai une fille de quatre ans et une de vingt ans... Et il y a ma femme. Il faut que je me recentre autour de tout ça, que je me raccroche. Avant, j'étais le chef de famille, c'était incontestable. J'avais ma femme, mes filles, tout allait bien, je veux dire le meilleur des couples, et puis d'un coup, c'est... C'est le ciel qui vous tombe sur la tête. Je suis parti travailler le matin. À 16 heures j'étais en réanimation à l'hôpital.

« Donc, j'ai d'abord commencé par me recentrer autour de la famille. Parce que je me suis dit : ou je m'en sors ou je sombre. Alors pour en sortir qu'est-ce que je fais ? Certains vont voir des psys, moi j'ai essayé tout seul et je m'en suis sorti tout seul.

« Ensuite, j'ai voulu retravailler. Dix-huit mois après mon accident. Je l'ai fait. J'étais transplanté, j'ai retravaillé... Mais j'ai fait l'erreur de croire que plus rien ne pouvait m'arriver. Je croyais que je pouvais tout supporter. D'ailleurs, j'ai tout supporté.

« Donc je me suis... un peu lâché, et puis j'ai oublié le respect qu'on doit quand on est transplanté, le respect que l'on doit à la famille de la personne qui vous a donné son rein, parce qu'il faut l'accord de cette famille – c'est comme ça, en France, et toutes les familles n'acceptent pas. Donc, j'ai eu un cadeau béni et je ne l'ai pas respecté, parce que je me suis remis à boire plus qu'il ne fallait, parce que j'allais faire des repas avec les douaniers, les flics et compagnie. Ma maladie s'est transformée, et j'ai fait des crises d'épilepsie. »

À ce stade de la discussion, je n'ai presque pas relancé Max. Je pense qu'il n'en a pas besoin. Ce dont il a besoin, c'est de raconter, à sa manière. Il me surprend : de lui semble ne se dégager aucun pathos, mais une force qui semble inébranlable. Je dis bien « il semble ». Max a l'apparence de la force, quelque chose qui ressemble à de la dureté – pour lui-même et à l'égard des autres. C'est un profil étonnant de bénévole. Il faudrait créer une catégorie de chef d'entreprise bénévole. L'argent ne l'intéresse pas, le pouvoir sans doute.

Pour poursuivre, je lui dis juste : « C'était comme un rappel à l'ordre, cette crise d'épilepsie ? » Il poursuit : « Voilà, c'est exactement ça : on m'a rappelé à l'ordre en me disant : "Bon maintenant tu ne peux plus travailler." Et mon rein est arrivé en fin de vie au bout de deux ans. J'ai été redialysé pendant trois ans et demi... »

Je n'ai pas pu m'empêcher de commenter par un « Ah, oui ! Quand même ! ». Il a enchaîné, sans prêter attention à ma réaction : « Là, je ne travaillais plus. J'ai eu le temps de réfléchir. D'autant que ces dialyses durent six heures. Trois fois six heures par semaine, c'est long... Je me suis repris, j'ai fait du sport. Je me suis dit : "Alors là, on arrête tout, on repart sur de bonnes bases." De toute façon, j'avais peur que... J'étais arrivé à un point, j'avais peur que ma femme et ma fille cadette me mettent dehors. Elles ne supportaient plus que je… Et puis c'était la folie, une folie à un point… Je m'étais acheté une moto, une 200… Je n'avais peur de rien. Même si je tombais, je repartais quand même. J'étais dans un état où plus rien ne pouvait m'arriver… »

Par moments, je me permettais de tenter de mettre des mots sur ses sentiments, ses sensations. Ce n'était pas toujours heureux. Je l'ai interrompu avec un malvenu « C'était de l'euphorie bizarre… ? » qui ne voulait pas dire grand-chose. Max n'a pas saisi, il a ajouté que c'est peut-être son traitement à base de cortisone qui provoquait cette euphorie. Heureusement, il a remis la conversation sur un plan plus intéressant. Il m'a parlé d'un déni de la maladie. C'est moi qui ai prononcé le mot « déni », lui a rectifié et a préféré le terme de « défi ». Avec son tempérament, il m'explique : « Je voulais défier les lois de la médecine en me disant "je suis malade, mais je fais comme si je ne l'étais pas".

« Voilà, je suis… je vis parce qu'on m'a toujours dit : "Vous devez vivre comme une personne normale", et je me disais il faut que je vive mieux que quelqu'un de normal, faut que je prouve que je suis mieux qu'eux. Mais ça s'est terminé par le fait que je suis retourné en dialyse. J'ai eu une deuxième chance d'être retransplanté. Deux fois. Je ne crois pas trop au destin, mais il y a eu quand même un signe : j'ai été transplanté le jour des vingt ans de ma fille aînée. Elle préparait son anniversaire depuis des mois et des mois, elle était en Corse, elle avait tout choisi, le lieu de repas, la boîte pour faire la fête avec ses amis, tout. C'était important pour elle.

Alors, je dis à ma femme qu'il ne faut pas l'informer que je vais être retransplanté, sinon elle va vouloir quitter la Corse et venir me voir. Cela va gâcher sa fête. On ne le lui dira que le lendemain... L'opération a duré sept ou huit heures. Ma fille l'a su le lendemain de sa fête d'anniversaire. Elle m'en a toujours voulu.

« Après tout ça, j'ai fait la démarche d'aller voir un psychiatre. À la première séance, il a ri. Parce que je suis entré dans son bureau, dans son cabinet, pardon, il m'a demandé pourquoi je venais. J'ai dit : "Voilà, j'ai eu des problèmes d'alcool et je voudrais m'en sortir." Il m'a dit : "Oui, c'est bien. Asseyez-vous." Ensuite, il n'a plus rien dit. Il a attendu que je parle et moi j'ai attendu qu'il me pose des questions. Ça a duré une demi-heure comme cela, sans que personne ne parle. À la fin, il m'a dit : "C'est bien, voilà, ça fait cinquante-trois euros et on se donne rendez-vous la semaine prochaine, même heure." J'ai juste placé un "Mais... ?". Il a répondu : "C'était une très bonne séance." Je peux vous dire que les semaines suivantes je me suis lâché. Au bout de quatre ans, il m'a dit : "Bon, maintenant, je pense que vous avez commencé à faire un petit peu le travail sur vous... Vous pouvez reprendre vos activités normales de bénévole" »

Avec Max, il n'y a pas de discours enjôleur. Quand je lui demande ce qu'il a trouvé au sein des Restos, il me répond : « Ce que j'ai trouvé ? C'est un... C'est un petit microcosme qui ressemble tout à fait à ce qui se passe dans une entreprise. C'est le même système. Vous trouvez les mêmes gens vicieux, les mêmes tire-au-flanc...

Vous trouvez les mêmes problèmes. Des gens qui râlent : "Et lui il a un bureau plus grand que moi ! Et pourquoi, moi, je suis placé à un tel endroit ? Et pourquoi il a un ordinateur tout neuf et pas moi ?" Des vies de bureau, quoi. Et je pense que même moi je dois avoir quelques petits défauts qui agacent... » Je ne commente pas.

Max continue. « Aux Restos, au siège social, on fonctionne en binôme : il y a le salarié et il y a le bénévole. C'est le bénévole qui décide. C'est-à-dire que c'est moi, finalement, c'est moi qui tranche. » Je lui fais remarquer qu'en fait, comme lorsqu'il travaillait en entreprise, il est le chef. « Oui, c'est moi le chef, c'est moi qui dirige les salariés. Ils ne peuvent pas prendre de décisions sans que je leur donne mon accord. »

S'ensuit une discussion où il m'explique tous les moments où il décide pour telle ou telle action. Je sens qu'il est fier de ce statut, qu'il ne doit pas être simple dans une vie de bureau. Qu'il est un peu autoritaire – ce qu'il ne conteste pas. Il met en avant l'efficacité, le fait que les Restos sont une grande association, observée par des commissaires aux comptes, « machin, tout ça... ».

« Mon job, poursuit Max, c'est le développement des dons en nature. Chaque année, j'ai un objectif plus élevé que l'année précédente. On a augmenté d'un tiers en trois ans. Ce n'est pas anodin, c'est beaucoup de valeur, beaucoup d'argent. »

Pour retourner chez moi, je descends la rue de Clichy, j'en ai pour vingt minutes à pied en passant par la place d'Estienne-d'Orves puis les rues de Châteaudun et du Faubourg-Montmartre. Sur le chemin, pendant tout le

trajet, le visage et les mots de Max ne me quittent pas.
Je pense : Nadia n'aurait jamais supporté de travailler
avec un homme comme lui. Voilà deux bénévoles aux
valeurs opposées...

PHILIPPE, LE GRAND FRÈRE
DES PAUVRES

Ça ne m'a pas étonné que Nadia s'intéresse aux Petits Frères des Pauvres. Quand nous étions étudiants, on avait aidé quelques prisonniers à passer des diplômes par le biais de l'association Génépi, un organisme qui milite pour « le décloisonnement des prisons » – on était heureux d'apporter notre soutien mais on n'avait rien vu de la dimension idéologique. Nadia et moi étions réfractaires à tout militantisme, c'était notre manière dérisoire de garder un peu de liberté et notre indépendance, qui ne nous servait pas à grand-chose.

Près de la gare Montparnasse, au rez-de-chaussée d'un immeuble ancien, se trouve une antenne des Petits Frères. J'ai appelé avant, Philippe m'a spontanément répondu qu'il pouvait m'accueillir l'après-midi même.

Arrivé au local – un lieu modeste et isolé –, un homme souriant ouvre la porte, la soixantaine dynamique, la poignée de main est franche : c'est Philippe. On a du mal à trouver un endroit pour causer. Philippe finit par dénicher un fond de couloir, un peu sombre, mais ça fera l'affaire. On installe tant bien que mal une petite table et deux chaises face à face.

Philippe effectue un remarquable travail de reconstitution de témoignages. Il œuvre dans les prisons et les hôpitaux. Nadia était capable d'aider n'importe où et, je crois, n'importe qui. Elle ne jugeait pas. Peut-être a-t-elle œuvré ici. Je ne veux mettre aucune piste de côté.

Je commence par demander à Philippe quel terme on utilise chez eux pour parler de ceux qui aident, chaque association a sa façon de dire. Bénévole ? Aidant ? Militant ? Accompagnant ? « À l'association des Petits Frères des Pauvres, on nous appelle bénévoles, me répond-il. Pour notre activité d'accompagnement de personnes malades, on dit bénévole d'accompagnement. » Puis, très vite, il tient à ajouter ceci : « Je voudrais donner une précision sur cette terminologie de "bénévole d'accompagnement" qui est importante parce que c'est le seul bénévolat qui est reconnu par la loi de juin 1999 sur les soins palliatifs. On est formés dans notre équipe, on représente une centaine de personnes en France sur les 8 000 bénévoles actifs. On est 11 000 pour des activités phares comme les vacances qu'on organise pour des personnes âgées en EHPAD ou d'autres maisons de retraite. »

Je ne sais pas pourquoi, mais Philippe me parle assez rapidement de Noël. Nous ne sommes qu'au début du mois de septembre. C'est une période de solitude extrême pour les personnes âgées et isolées, m'explique-t-il. Il prépare déjà des colis, des repas festifs dans des lieux prestigieux. Il fait ça dans toute la France.

Les Petits Frères s'occupent des personnes âgées,

ceux qu'on appelle pudiquement « les seniors ». Pour la société, mais je ne sais pas qui a décidé de cela, être vieux commence à cinquante ans, mais Philippe travaille avec des plus âgés, maintenant ça peut aller jusqu'à quatre-vingt-dix, voire parfois cent ans. Les bénévoles effectuent surtout des visites individuelles dans tous les endroits qu'on appelle des « lieux de vie ».

Ce sont des gens qui sont isolés, qui n'ont plus de famille, qui sont pauvres, qui vivent encore dans des chambres de bonne... Les EHPAD sont plutôt des lieux de fin de vie. « Vous savez comment l'Observatoire national appelle cela ? *Le naufrage social.* » J'apprends que dans ces EHPAD les personnes dépendantes périclitent petit à petit. Alzheimer, Parkinson... Cela les isole chaque jour davantage. La maladie du corps se transforme en maladie de l'esprit.

Les bénévoles des Petits Frères sont présents auprès de ces personnes, ils organisent des animations dans ces EHPAD, mais aussi des sorties pour ceux qui en sont encore capables. « Voilà, soupire Philippe. On fonctionne avec nos valeurs : solidarité, fraternité et fidélité dans le temps, c'est-à-dire jusqu'au bout. »

J'avoue que lorsqu'il me dit cela j'ai le cœur qui se serre. Je suis admiratif. Le bénévole me parle sans se mettre en avant. Dans ce moment-là, j'ai du mal à lui parler de Nadia, à lui poser une question qui pourrait m'aider. Que pèse ma quête personnelle face à une cause collective aussi noble ? Je ne cesserai jamais de m'interroger à chaque fois que je rencontre des bénévoles. Ce sont des saints, ils peuvent tout comprendre, mais je n'ose pas.

Les yeux de Philippe brillent. C'est un être calme. Mais à ce moment de la conversation – ça arrive assez vite, la confiance s'est rapidement installée – je le vois s'animer. Il me dit : « Pour nous, pour moi, ce n'est pas quelque chose de superficiel, ces valeurs, c'est du concret. » Je comprends. On pourrait diviser le monde en deux : il y a ceux qui discourent et ceux qui font.

Il y a un sujet qui tient au cœur de Philippe, et qui rejoint mon obsession et le projet de Jean-Patrick Spak. Ce qu'il explique, je le retrouve souvent dans la bouche des bénévoles : l'important n'est pas que d'aider, il y a surtout ce lien social, incroyablement fort, qu'il faut tisser instant après instant et qui passe par la parole et l'écoute, par les mots et l'écriture. C'est le fil des funambules qu'il faut tenir à bout de bras pour qu'il ne tremble pas.

« On recueille des témoignages, dit Philippe. Ce n'est pas simple, mais on essaye de faire en sorte que les gens qu'on accompagne prennent la parole, pour qu'ils restent acteurs et non sujets de l'accompagnement. Donc, ça c'est une ouverture qu'on fait depuis quelques années, et à notre congrès à Lille, au mois d'octobre 2016, on leur a donné la parole. Il y a eu aussi 250 lettres qui ont été lues par des comédiens, par des bénévoles, par des salariés. C'était émouvant. » Un petit ouvrage est né de cette expérience. Philippe le sort de sa pochette et me l'offre. Je sens que c'est important pour lui. Il a un joli titre : *Les Don Quichotte de l'espoir*, il évoque l'accompagnement à l'hôpital pénitentiaire de Fresnes où Philippe se rend pour rompre des solitudes. Je lui parle alors du projet « L'écriture est la vie » et lui donne les coordonnées de JPS. Je feuillette l'ouvrage et je vois que Philippe est cité, je le reconnais parce qu'on parle d'un homme qui a « le sourire plein les yeux ».

Je rêve d'un grand livre de témoignages où se réuniraient tous les funambules : ceux qui sont aidés et ceux qui aident, où, comme le dit l'ami Éric-Émile, « on ne sait pas toujours qui aide qui ».

CHANTAL

Parfois, j'ai l'impression de recevoir des personnes qui veulent raconter leur histoire comme un médecin reçoit des malades. Je ne fais pas le travail d'un psychologue, même si certains disent que ça y ressemble. Les gens veulent écrire. Mettre noir sur blanc les mots qu'ils retiennent en eux, laisser une trace. Pourquoi, à un moment où toute votre énergie devrait être mobilisée pour régler des problèmes matériels ou réparer une souffrance, songer à écrire ?

J'ai même une liste d'attente. Ce vendredi après-midi, j'ai eu un appel. Une urgence. Chantal n'en peut plus de tout garder pour elle. C'est une bénévole des Restos qui l'a mise en contact avec moi.

Avant, sa vie se déroulait comme dans un rêve. Cette croyante pratiquante, mère de cinq enfants, est une notable. Son mari est médecin généraliste dans la petite ville de Pontcarré, en Seine-et-Marne, où elle a ses habitudes – tout le monde la connaît, parle de ses belles robes un peu désuètes qu'elle confectionne elle-même et des dimanches à la messe qu'elle ne rate jamais. Des mauvaises langues disent qu'elle fait « vieille France », mais elle n'en a cure. Elle jouit d'une belle situation, grâce à Dieu. Elle prend à cœur sa mission d'élever ses cinq enfants pendant que son époux est fort occupé à soigner le monde. Elle en est fière, Chantal. Les deux garçons, Paulin et Pierre, les aînés, poussent comme il faut ; les petites sœurs, Pascaline, Patricia et Philippine, suivent le même chemin – tous les enfants portent un prénom commençant par P, comme leur père, Philibert. Un soir, c'était exactement le vendredi 22 juin 2018, le mari ne rentre pas à la maison. Il le lui dit par téléphone : il part avec sa secrétaire médicale – elle porte le même prénom que sa femme. Et tout ce que Chantal trouve à lui rétorquer, c'est : « Mais le dîner est prêt. » Voilà comment vingt-quatre années et des poussières s'envolent. C'est une histoire d'une banalité affligeante, mais pour Chantal c'est sa seule vie. Une vie qui vient d'exploser. C'était une existence bâtie aussi sûrement que l'église Saint-Roch, de la Grande Rue de Pontcarré, où la famille priait chaque dimanche. Une existence faite de hauts et de bas, mais cela Chantal le savait, elle ne se faisait pas d'illusions – elle a appris tellement de choses dans les romans qu'elle dévore. Et sa mère lui avait conseillé « Ferme les yeux sur les faiblesses de ton homme et tout ira bien ». Philibert n'était pas insensible aux charmes de l'autre Chantal. L'épouse le sentait quand elle passait au cabinet – un regard en dit plus long que des mots susurrés –, mais de là à partir avec elle, elle ne l'a pas imaginé un instant.

Aujourd'hui, Chantal se rend en cachette aux Restos du Cœur. Elle a honte que l'on connaisse sa situation. Et puis comment les gens pourraient-ils comprendre qu'une femme vivant dans une aussi belle maison en pierres meulières ferait l'aumône ? Elle ne veut pas non plus s'inscrire à Pôle emploi, alors que cela pourrait déclencher une série d'aides. Je ne sais plus quel bénévole m'a dit : « Si tu ne vas pas à Pôle emploi, Pôle emploi ne viendra pas à toi. » Et dire que Chantal avait songé à adopter le statut de conjoint collaborateur, car elle a beaucoup aidé Philibert, mais son mari lui avait affirmé que c'était encore trop de paperasses et qu'il aurait fallu cotiser à une assurance. Pas question.

J'apprends que beaucoup de personnes se retrouvent dans le cas de l'épouse délaissée à la cinquantaine, surtout chez les professions libérales et les commerçants, où les femmes travaillent dans l'ombre du mari. Sans statut.

La honte empêche d'entamer la moindre démarche. Faire le premier pas administratif, c'est comme reconnaître que l'on est officiellement pauvre, qu'on n'a pas trouvé d'autre moyen de s'en sortir.

Quand je vois Chantal, c'est une fêlure béante que j'observe : la foi ébranlée.

Pourquoi ce sentiment de honte, cette culpabilité ? Je lui conseille d'écrire sur ça. Elle en a envie, elle possède une belle plume, elle n'a pas besoin d'aide, juste quelques conseils, un accompagnement pour garder un peu de distance – si cela est possible. Elle me confie qu'elle avait entamé des études de lettres et avait dû arrêter son master quand elle est tombée enceinte six mois après avoir rencontré Philibert.

Elle me dit : « Pourquoi écrire face à tant de grands écrivains ? » « On n'écrit pas *face*, Chantal, peut-être *avec* pour tout ce que ces auteurs nous apportent. Il ne s'agit évidemment pas de se comparer, le plus difficile c'est d'être soi, c'est prendre ce chemin qui consiste à se retrouver. C'est une mise à nu, l'écriture, on s'affranchit du regard des autres. Êtes-vous prête, Chantal ? »

Le mariage entre Chantal et Philibert a eu lieu soixante-quatre jours avant la naissance de Paulin. La famille de Philibert a tout organisé, s'est occupée de ce qu'il fallait sur le plan matériel et financier. Leur fils devait aller au bout de ses études de médecine – il aurait voulu faire chirurgie.

Elle était heureuse, tout de même, Chantal. Elle préparait un mémoire sur Patrick Modiano autour des errances de ses personnages, de la dualité entre la mémoire et l'oubli, c'était titré « La lumière voilée dans l'œuvre de Modiano ». Elle ne sait pas pourquoi mais des années après elle se rappelle cette citation qu'elle avait mise en exergue : « Le secret donne de la profondeur aux personnes. » Aujourd'hui, c'est son mari qui recèle tant de secrets pour elle – elle n'a rien vu venir.

Sa grande famille a éclaté ; les parents de Philibert ont pris fait et cause pour leur fils médecin qui prévoit de reprendre un cabinet près de l'hôpital de Chartres. Il a l'intention de faire venir les enfants car son « ex » n'a pas les moyens de subvenir à leurs besoins ; son avocat va s'en charger – « ex », Philibert utilise aisément cette expression quand Chantal ne s'y résout pas.

Il y a cette phrase que je ne cesse d'entendre chez les démunis. Ils disent tous : « On voudrait bien être comme les autres. On voudrait bien être comme les autres. » C'est le rêve de Chantal, aujourd'hui.

En plus de tomber dans la pauvreté, ce qui est déjà un lourd fardeau, Chantal s'encombre de ce sentiment de honte. Je n'ai jamais compris pourquoi. Une bénévole m'a expliqué : « Je l'ai souvent constaté, vous savez, franchir la porte des Restos, ce n'est évident pour personne ; et encore plus dans les petites villes où tout le monde se connaît. Du reste, on s'en rend compte, notamment avec les personnes âgées, de plus en plus nombreuses, ou même avec des propriétaires qui n'arrivent plus à payer les charges ou une réparation. » Parfois, il a fallu enlever le logo des Restos pour préserver l'anonymat.

Quand je pense à la situation de Chantal, je revois ma mère. Je lui dois de ne pas tomber dans ce piège qu'est le sentiment de honte, entretenu par le regard des autres – ça nous rassure de voir plus déshérité que soi. Dénuée de tout, sans instruction, seule, ma mère a su trouver en elle cette capacité à faire face. Le destin s'acharnait, elle continuait de se battre. Je ne l'ai jamais vue se plaindre de son sort – mais ce qu'elle peut bougonner !

LA FAMILLE

Je retrouve Monique, toujours rue de Clichy, au siège des Restos. On évoque l'importance de la famille. J'ai envie de lui parler de cette rencontre chez ATD Quart Monde qui m'a tant marqué : les trois générations de femmes – la fille, la mère, la grand-mère – qui préfèrent vivre à trois dans la précarité plutôt que de voir la fille s'en sortir et, peut-être, les sortir de cette situation. Dans certaines familles, il y a des enfants qui n'ont jamais vu leurs parents ou leurs grands-parents travailler.

Mais pourquoi ces trois femmes restent-elles dans la pauvreté ? Monique me répond instantanément : « Un noyau ! » Je m'étonne : un noyau ? « Parce que c'est un noyau, oui, un noyau bien soudé », me précise-t-elle. Et je comprends qu'il n'y a rien de plus précieux que ce noyau autour duquel on résiste ensemble comme on peut. Comme ma mère et moi.

On discute à bâtons rompus. La famille, c'est parfois un lieu de conflits, de situations toxiques, de malheurs, même, un nid à culpabilités. Mais quand elle éclate, ce peut être la pire des catastrophes. Le « noyau » évoqué par Monique m'intrigue. Pour ma part, j'ai toujours pensé qu'il valait mieux fuir une famille toxique. Et Dieu sait qu'il en existe – et moi aussi je le sais.

J'interroge Monique qui en a vu de toutes les couleurs. J'imagine que l'un des objectifs des Restos est de faire en sorte que le funambule retrouve un socle familial, un « ciment », une idée de communauté. Mais comprend-elle pourquoi cet homme, l'ancien joaillier, a tout balancé, sans prévenir personne, sans donner un début d'explication ?

« Non. Non, je n'ai pas compris parce qu'il restait très discret. Nous ne voulons jamais pénétrer dans la sphère privée. » Jamais : elle a répété ce mot au moins une dizaine de fois. Elle insiste : « Il n'est pas question de percer des secrets. Cela me choque de chercher à en savoir plus. Il faut que ça vienne de la personne, si elle a envie d'en parler. Sinon, jamais. » Pour le joaillier, elle n'a appris des choses qu'après son décès, quand elle a discuté avec l'épouse, cette femme éprouvait le besoin de parler avec une personne qui avait connu son mari fantôme.

Combien de fois Monique a-t-elle appris des choses incroyables des années après… ? Il faut aussi savoir garder des informations pour soi. Elle se souvient de ce jour où un homme lui a confié qu'il avait tué. Je ne sais pas comment les bénévoles arrivent à vivre avec ces lourds secrets. Moi, dès qu'une personne me dit qu'elle a fait de la prison, j'ai tendance à prendre la fuite – je l'avoue.

Dans l'ensemble, ces paumés n'essaient pas de retrouver leur famille. Ils vivent sans. Il y a une cassure, après c'est presque fini. Les Restos font office de famille de substitution.

À force de voir tous ces destins qui ont basculé, ne se dit-on pas : « Voilà, je suis une bénévole, j'aide, mais la fragilité de la vie est telle que j'aurais pu être de l'autre côté ? » Est-ce que ce ne sont pas des interrogations qui nous traversent ? Ne sommes-nous pas des funambules aussi ? « Oui, absolument, oui, me dit Monique, je sais que l'on peut basculer vite, très vite. On remarque que ce sont les jeunes qui se retrouvent à la rue, parce que la famille n'a pas assumé. Ils ont été mis à la porte de chez eux parce qu'ils avaient une addiction, parce qu'ils ont fait quelque chose qu'il ne fallait pas, parce qu'ils ne voulaient pas travailler à l'école... En plus de la perte d'un toit, il y a une souffrance morale qui vous conduit inexorablement dans les tréfonds. »

On en revient à la famille. « J'ai souvent pensé à ça, raconte Monique, parce que parmi mes proches il y a un garçon qui a eu une période très difficile avec des addictions, et je me suis dit que si les parents n'avaient pas été là, il serait dans la rue. »

Je me souviens de Déborah, une amie qui s'est retrouvée dans une grande galère après un licenciement. Elle est issue d'une longue lignée d'aristocrates. Brune pétillante, yeux noisette, toujours souriante, elle n'est pas du genre à se plaindre et se bat pour retrouver un poste dans le marketing culturel – elle adore mettre en valeur la création d'un jeune peintre, une pièce de théâtre ou travailler pour la promotion d'un film. Mais le conflit avec son directeur d'agence – un homme marié qui n'a pas apprécié qu'elle lui résiste – l'a complètement cassée. Déborah ne le dit pas, elle a trop d'orgueil pour ça, mais je l'ai ressenti. Jolie femme, d'une élégance de classe, son célibat endurci alors qu'elle souffre de solitude reste un mystère pour moi. À la mort de son père, elle a hérité d'un bel appartement en plein VIᵉ arrondissement qu'elle loue. J'ai pris un café avec elle. Vers la fin de la conversation, presque au moment où nous allions nous saluer, elle m'a confié, les larmes au bord des yeux : « Tu sais, je pense aux gens précaires que tu rencontres et je me rends compte que si je n'avais pas eu cet héritage j'aurais été dans la même situation qu'eux... » Une aristocrate peut aussi être une funambule.

Je raconte cette histoire à Monique, qui lui en rappelle une autre. À ce moment de la conversation, nous ne sommes plus dans le jeu des questions-réponses, mais dans l'échange, et ça me plaît. On commence à être un peu moins timides. Elle poursuit. « Nous nous sommes occupés d'un garçon dont le père est officier – je ne sais plus quel grade, mais c'est un grade important ; il a des frères et des sœurs qui ont tous bien réussi. Lui, c'est le vilain petit canard. Et il est parti de chez lui sans que les parents cherchent à le retenir. Les Restos l'ont énormément aidé. Moi, quand j'étais là, puis d'autres après moi, on lui a trouvé une famille d'accueil avec laquelle je suis restée en contact. Il n'avait presque plus de dents, on a réussi à le faire soigner. Il n'avait plus de carte d'identité, on a réussi à lui en obtenir une nouvelle. Ensuite, il a été en contrat aidé, puis il a trouvé un poste fixe. Sa famille d'accueil l'a soutenu dans la recherche d'un petit logement... Et je me souviendrai toujours, il m'a écrit à l'occasion du nouvel an – il n'avait plus besoin de nous à cette époque-là. Il m'a écrit ces mots : "Tu sais, pour la première fois, j'ai payé des impôts." Je garde toujours cette phrase en mémoire. Ces mots résonnent comme la plus belle des victoires. »

Peut-on soutenir quelqu'un qui ne demande rien ? Cette question me taraude. À Lyon, lors de la formation au passage Faugier, on avait appris que c'était peine perdue. Monique est catégorique : « Non, on ne peut pas, on ne peut pas. » Et elle a toujours un exemple en tête. Elle a connu une femme, une travailleuse sociale, elle a essayé de nouer des liens avec un SDF dans le métro. Elle lui disait : « Vous savez, quand vous le voudrez, moi je suis à votre disposition, vous venez me voir et on pourra en parler. » Et lui répondait : « Non, non, pas maintenant. » Tous les jours, il lui affirmait invariablement : « Non, ce n'est pas encore le moment. »

Monique me regarde : « Je ne sais pas s'il a un jour dit oui, je ne sais pas. Mais elle n'insistait pas, vous voyez. »

On ne peut pas aider une personne si elle-même n'en éprouve pas le désir ni n'a la force pour le faire. Combien de fois me suis-je cassé les dents à vouloir aller contre cette volonté, comme si j'avais le pouvoir de tout régler ? Sans compter les reproches de ceux que vous avez soutenus à bout de bras.

LORA

Je reçois un message de Joseph sur mon téléphone. C'est un ami d'enfance que je revois une fois par an. On essaie de maintenir ce rituel contre vents et marées. À part Bizness, je n'en revois plus d'autres. De tous les copains de la cité Anne-Frank, Joseph est le plus stable. Il a un boulot. Il travaille pour un centre de loisirs de la ville, à deux pas de la cité qu'il n'a jamais voulu quitter. Il a deux ans de plus que moi ; c'était le premier de la rue à avoir un bac général. Il s'est marié, il a deux enfants. Des autres, je n'ai que des bribes d'informations, des histoires de galères. Des drames. Et des morts.

Joseph m'écrit : « Lora est morte. Je ne l'ai appris que récemment, mais elle est morte il y a six mois. Elle est enterrée dans la fosse commune, à Thiais. Appelle-moi quand tu peux. »

Lora était la plus jolie fille de notre quartier composé de vingt-huit bâtiments de huit étages. Quatre bâtiments formaient une rue, et chaque rue pouvait constituer son équipe de foot. On organisait ainsi notre championnat inter-rues sur les parkings. Il n'était pas question de jouer pour une autre rue même si l'on se retrouvait dans la mauvaise équipe – c'était comme trahir et personne n'avait jamais osé franchir le pas.

Parfois, Lora venait nous soutenir en s'appuyant sur une voiture au bord du parking. Elle avait des airs de Béatrice Dalle, un côté énigmatique et boudeur. Quand elle était là, on jouait mieux, et il nous arrivait de gagner. Sa beauté était une évidence et elle était notre fierté. Brune, cheveux courts à la garçonne, yeux noirs intenses, elle était à la fois mince et pulpeuse – « une bombe », résumait Bizness. Toute la cité pensait qu'elle allait devenir actrice ou mannequin – pas possible qu'elle ne soit pas repérée par un casting. Je n'ai pas oublié son nom parce qu'il claquait sur sa boîte aux lettres : DO NAS-CIMENTO. Pour une future comédienne, c'était bien. Joseph en était amoureux, comme nous tous, mais lui avait osé le lui dire. Il a dû vivre une histoire avec elle, mais ça n'est pas allé loin d'après ce qui se dit. Moi, je m'entendais bien avec elle. Et je sais qu'elle préférait les femmes – « À toi, je peux faire l'aveu », m'avait-elle dit dans une drôle de confidence (j'ai pensé pourquoi ce mot, « l'aveu » ?) ; mais c'est vrai : dans la cité on ne pouvait pas montrer ce genre de choses. Est-ce pour cette raison que Lora aimait s'afficher avec les garçons les plus durs : celui qui n'hésitait pas à lui mettre une claque devant tout le monde ou cet autre qui venait de sortir de prison comme s'il arborait une Légion d'honneur ?

Lora m'avait aussi confié qu'elle rêvait de vivre à Paris, parce que ce serait plus simple. J'imagine qu'elle voulait dire plus simple pour vivre la vie qu'elle souhaitait, sans se cacher ni se renier.

Il y a un peu moins d'un an, elle m'avait d'abord envoyé ce message, à 3 h 47 : « Comment va ta vie je pense à toi bisous », puis une heure après à peine, avant que j'y réponde, elle a appelé. J'étais en plein sommeil, mais bizarrement j'ai entendu le téléphone vibrer. Elle devait bien avoir trente ans, et je n'avais plus de nouvelles d'elle depuis six ou sept années. Très vite, juste le temps de vérifier si j'habitais toujours à Paris et si je vivais seul, elle m'a demandé si je pouvais l'héberger « deux ou trois mois ». Sa voix n'était pas très claire, comme pâteuse. J'ai eu peur. C'était une fille un peu compliquée qui posait lapin sur lapin et inventait des excuses invraisemblables – combien de temps ai-je perdu à l'attendre ? Avec le recul, elle devait être mythomane. Je lui avais offert trois mois de cours de théâtre, parce qu'elle rêvait d'en faire. J'ai appris qu'elle ne s'y était jamais rendue – quand je lui avais demandé les raisons, elle m'avait juste répondu qu'elle ne sentait pas de « bonnes vibrations ». Et ce poste de standardiste dans une maison d'édition – elle en avait besoin, insistait-elle. Elle est venue une journée, puis est partie sans prévenir. À cause de tout cela, j'avais laissé nos liens se distendre. Je n'arrivais pas à lui en vouloir ; c'était une paumée, comme une sœur. Dans la cité, son bâtiment se trouvait en face du mien. Elle connaissait mon histoire avec Nadia.

Apprendre sa mort me remue et remue tout un tas de souvenirs. J'ai besoin d'appeler Joseph. Je tombe sur sa boîte vocale, je n'arrive pas à lui laisser de message, aucun mot ne me vient. Il me rappelle assez vite – il est en vacances à Brive avec ses enfants, chez ses beaux-parents.

Ni lui ni moi ne sommes étonnés de la mort de Lora, c'est cela qui nous affecte le plus, comme si c'était son inéluctable destin. Joseph me dit que la galère tue plus que la maladie. Il m'apprend que Lora est morte de mort naturelle. À trente ans ! C'est ce qu'a déterminé l'enquête après que son amie de passage a averti les pompiers. Elle buvait beaucoup et ne mangeait presque rien. Sa dernière « demeure » était un squat, dans un immeuble insalubre d'Aubervilliers. Elle a été enterrée au cimetière de Thiais, au carré des indigents, terme que, paraît-il, on ne doit plus utiliser. Il faut dire « terrain commun », ces tombeaux blancs qui accueillent les corps que personne ne réclame – au bout de cinq années, ils sont incinérés pour faire de la place aux suivants. Il n'y a pas toujours de nom sur les pierres tombales, c'est quinze euros la lettre, m'a dit le marbrier.

Je raconte à Joseph qu'il y a moins d'un an Lora voulait que je l'héberge chez moi. Il cherche des paroles pour tenter de me déculpabiliser. Elle l'avait appelé aussi. Je le remercie et je pense : avec elle, combien d'amis d'enfance disparus ? À trente-quatre ans, j'ai le palmarès d'un vieillard. Je fais cette comptabilité macabre : entre la drogue, la violence et la prison, j'ai déjà douze potes qui sont tombés parmi ceux dont j'ai encore des nouvelles. Bizness me tient au courant.

Lora, c'était une funambule de la vie, en état de déséquilibre permanent. Elle tenait je ne sais comment, par des petits riens, chaque jour était un défi. Ses parents sont retournés au Portugal sans la prévenir – ils avaient dit qu'ils resteraient en vacances deux mois, pas plus, mais ils n'avaient pas pris de billet retour. Elle avait dix-huit ans, ils ont considéré qu'elle était majeure et qu'ils ne lui devaient plus rien. Elle était livrée à elle-même. Comme nous tous. On se haranguait à coups de « frérot » et de « cousin » pour se réchauffer et nous donner l'illusion qu'on formait une grande famille. Mais si l'un d'entre nous tombait, il était oublié – on disait que c'était le destin, qui est l'autre nom du malheur.

Malgré sa beauté et son air de « rien ne me touche », on voyait bien que Lora était la plus fragile. Elle demeurait dans ses rêves. Et nous, on savait, avec notre instinct de survie, que ce n'était pas tenable longtemps : sur le fil du réel, il fallait ouvrir les yeux, ou tomber.

LEÏLA LES MOTS

Je retrouve Leïla. Pas par hasard : je sais que j'ai une chance de la croiser si je me rends au centre social de la cité Anne-Frank. J'ai pris sur moi d'y retourner. Je l'aperçois assez vite avec ses longs cheveux noirs ondulés qui lui couvrent les épaules, elle est assise seule à une petite table avec un carnet sur lequel elle semble écrire, concentrée.

Elle lève la tête. Leïla a l'air contente de me voir. Elle m'offre un sourire, et quand elle sourit, c'est un soleil. Elle illumine tout le décor, on ne voit qu'elle, une brune radieuse – et je pense : quel gâchis. Je me méfie tout de même de ses envolées. Avec elle, il faut être sur ses gardes. D'ailleurs, elle se précipite sur moi et je me crispe un peu. Elle ne me dit pas bonjour : « Hé ! Merci pour les poèmes. Bon, la Desbordes-Machin, c'est beau mais elle pleurniche un peu trop. J'ai adoré *Le roman inachevé*, tu sais ! C'est écrit il y a un siècle, mais c'est puissant », lance-t-elle avec son sens de l'exagération. Elle est volubile : « Les passages sur *L'amour qui n'est pas un mot*, ça me parle, tu penses bien. *L'am-our-qui-*

n'est-pas-un-mot. Trop fort. Ça m'inspire, tu n'imagines pas. Je les ai appris par cœur. Il en pinçait pour son Elsa, ton Aragon ! C'est beau, très beau. Un peu comme toi et Nadia. » Et elle éclate de rire.

Histoire de dévier la conversation, je lui demande ce qu'elle a aimé chez Aragon. Elle redevient sombre et me dit : « J'ai l'impression qu'il y a des passages qui s'adressent à moi. » Elle ferme les yeux et déclame, les deux mains levées vers le ciel, paumes ouvertes, comme si elle priait :

> Mon Dieu jusqu'au dernier moment
> Avec ce cœur débile et blême
> Quand on est l'ombre de soi-même
> Comment se pourrait-il comment
> Comment se pourrait-il qu'on aime
> Ou comment nommer ce tourment

Elle ouvre les yeux, me fixe. Je ne vois plus que de la noirceur dans son regard. Toujours cet air de défi qui ne la quitte que par instants. Je ne dis rien. Elle reste enfermée en elle-même et me chuchote : « Et ces mots, ce n'est pas pour moi, ça ? Écoute. » Cette fois, elle ne lève que sa main droite, l'index menaçant.

> Je traîne après moi trop d'échecs et de mécomptes
> J'ai la méchanceté d'un homme qui se noie
> Toute l'amertume de la mer me remonte
> Il me faut me prouver toujours je ne sais quoi
> Et tant pis qui j'écrase et tant pis qui je broie
> Il me faut prendre ma revanche sur la honte

On reste debout tous les deux. Elle semble exténuée. Le silence qui s'instaure ne me pèse pas. Elle sort l'exemplaire du *Roman inachevé* et l'appuie sur sa poitrine. Je dis à Leïla que peu importe à qui ces mots s'adressent, la poésie parle à tout le monde. Un jour, c'est pour toi ; un autre jour, c'est pour moi ; une autre fois pour un autre. Je lis et relis ces textes depuis une dizaine d'années. Ils m'apportent chaque fois quelque chose de différent.

Je lui demande ce qu'elle a écrit dans son carnet, enfin, si elle souhaite me le dire. Elle n'esquive pas, j'ai l'impression qu'elle est même contente. Elle me dit que c'est « L'amour qui n'est pas un mot » qui l'a inspirée, décidément. Puis elle s'approche de moi, tout près, à quelques centimètres. Je sens son souffle. « Toi, tu écris les mots, tu les couches sur du papier, mais moi j'ai pas été à l'école, je les balance, je les fais voler. Les attrape qui voudra. »

Elle me regarde. « Tu sais, les mots, me dit-elle, son visage face au mien toujours avec cette manière de défi. Les mots, les mots sont physiques, ils t'arrachent la chair de tes sentiments. Ils te déchirent le cœur à chaque battement. Ils deviennent un cri. T'étouffent de colère. Sont l'âme qui désespère. Et la souffrance infinie.

« Mais les mots, ajoute-t-elle, les yeux plus doux, en mimant avec ses mains des caresses sur mon visage sans me toucher, comme si elle entamait une danse sensuelle, les mots, les mots, ils te font sentir le parfum des fleurs du souvenir. Ils te font couler des yeux les pleurs du fou rire. Ils deviennent des sourires plus doux qu'une caresse. Un torrent de tendresse, sans besoin de rien dire. » Elle s'arrête net. Attend-elle une réaction de ma part ? Je lui dis que c'est beau, superbe, que ce serait bien qu'elle les écrive sur son carnet. Elle sourit et me dit : « C'est ce que j'ai fait ! »

Leïla me surprend à chaque fois. J'ai envie de parler avec elle, de mieux la connaître, mais elle est insaisissable. Je lui propose de boire un café, ce qu'elle accepte spontanément.

Le Café des Sports – bar-PMU-brasserie-relais colis – est le seul endroit possible à quelques pas de la cité Anne-Frank, sinon il faudrait aller en centre-ville, à trois kilomètres de là. C'est trop loin.

On marche cinq minutes sans rien dire. Quand on entre dans le café il n'y a que des hommes. Des regards se posent sur nous. Cela me gêne, mais Leïla semble à l'aise. Au fond de la salle, il y a un groupe de jeunes en survêtement qui parlent fort, c'est une équipe de football qui se rassemble ici avant de partir pour le match de l'après-midi.

Elle se dirige vers une table pas très loin de l'entrée, éloignée du bar, elle s'installe dos au mur. « C'est pour voir le danger arriver », me dit-elle d'un drôle d'air. Je suis surpris : quel danger ? « Il faut toujours être prêt à affronter le danger, tu n'as pas appris ça ici, ou tu as oublié ? »

J'ai surtout peur de la tournure que prend la conversation. Je lui demande ce qu'elle veut boire. Elle opte pour une bière pression. Je prends un café allongé. Puis je lui lance, sans transition : « Leïla, je n'ai pas abandonné Nadia. C'est elle qui est partie. Elle n'a jamais répondu aux courriers que j'ai envoyés à ses parents.

C'est son droit, bien sûr. Je ne sais même pas ce qu'elle est devenue. Je la cherche. Et sache que rien, entre nous, n'avait vraiment commencé. » Leïla m'écoute. Elle a l'air espiègle avec ses yeux moqueurs. Je commence à m'énerver. Et je lâche une de ces phrases ridicules qui ne veulent rien dire : « Après, j'ai fait ma vie. »

Un silence s'installe. Je sens toujours ces regards posés sur nous. Ils me pèsent. C'est désagréable, mais Leïla n'en a cure. Je la vois s'adoucir. Elle esquisse un sourire où je lis un début d'apaisement. Elle me dit, avec de la malice dans les yeux et ce geste sensuel en diable en remettant ses cheveux bouclés en arrière et sa poitrine en avant : « Dommage, vous auriez fait un beau couple, ça sautait aux yeux. » Elle minaude.

Comme à chaque fois que je suis avec elle, Leïla change de visage. Elle devient ombrageuse. C'est incroyable, ce changement d'humeur en quelques secondes ; ça doit être invivable. Elle m'apprend brièvement qu'il lui arrive de croiser Nadia une ou deux fois l'an quand elle vient à Ozoir. Puis Leïla se met debout comme pour quitter le café. Je reste assis. Elle me livre cette information d'une manière anodine. « Je crois que Nadia bosse pour ce collectif qui s'occupe d'enterrer les SDF. Les Morts de la rue, tu connais ? »

Elle s'éclipse sans me dire au revoir et me laisse en plan. Elle n'a pas touché à sa bière et mon café est froid. Je le bois d'un trait. Les regards des clients se font plus insistants, j'ai le sentiment d'avoir une caméra fixée sur moi – ils doivent penser : il vient de se faire larguer. Au loin, à travers la baie vitrée, je vois Leïla se diriger vers les bâtiments de la cité.

Je choisis la direction opposée, pour prendre le train. Dans le wagon, j'aime me mettre côté fenêtre.

J'ouvre mon exemplaire du *Roman inachevé* et vais directement à la partie « L'amour qui n'est pas un mot », j'avais écorné les pages. Je lis :

Ô forcené qui me ressembles
Écoute une dernière fois écoute
Cette histoire que tu ne raconteras jamais jamais tu la connais de bout en bout tu la connais toute
Un jour peut-être un jour se lèvera pour la première fois et que ce soit sur une Terre Sainte ou le vrai paradis terrestre un jour si tu crois l'heure enfin sonnée où les autres hommes te regarderont comme un des leurs pour la dernière fois je te le dis ce ne sera qu'illusion que leurre rien n'est possible qu'un mensonge ils feront mine écoute-moi ce ne sera qu'une apparence ils ne t'aimeront jamais ils ne t'accepteront jamais comme un des leurs et tu vivras longuement parmi eux le sachant le cachant rien n'est changé tu es toujours un étranger comment veux-tu qu'il en soit autrement regarde-toi mais regarde-toi donc maudit

Je referme le recueil. Je repense à Leïla ; sa rencontre m'a mis le moral au fond du trou. Elle m'a plombé. Je ne reviendrai plus à la cité Anne-Frank.

HANABELLA

J'ai toujours une appréhension quand s'affiche sur mon téléphone un numéro que je ne connais pas. « Bonjour, c'est le docteur Bernard Rieux, je suis épouvantablement désolé de vous l'apprendre par téléphone, mais j'ai le regret de vous dire que votre mère est morte tout à l'heure. Ça ne vous consolera pas, mais sachez qu'Hanabella n'a pas souffert. Elle est partie dans son sommeil. » Je bredouille un « merci » qui n'a rien à faire à ce moment. Le docteur me conseille de passer plutôt demain en matinée, en m'attendant il s'occupe de tout.

Je tombe sur mon canapé. Je n'arrive pas à pleurer. Des images du temps où on vivait Là-bas surgissent. Je ne peux m'empêcher de penser que c'est peut-être un soulagement pour ma mère, la fin d'une vie de bouts de ficelle et d'épuisement. On l'appelait Hanabella, mais son vrai prénom c'est Hana-Zina, Zina qui veut dire belle.

Je ne sais pas combien de temps je reste comme ça, hébété. Deux ou trois heures. Bizness frappe à la porte – je reconnais ses deux coups secs, un silence, puis un nouveau coup sec. J'ai oublié, pour une fois, il m'avait averti de son passage.

Il remarque mes yeux rougis, ma tête ne doit pas être présentable. « Y a quelque chose qui va pas ? » « C'est 'Man. » « Elle est pas bien... ? » Je ne sais comment le lui dire, je murmure : « Elle est morte. » Le petit rouquin s'effondre à côté de moi. « Merde... » Mais avec Bizness, ça ne dure jamais longtemps, un mauvais passage. Il sait que j'ai besoin d'aide, il se reprend. « C'est pour ça que tu fais cette tête ? Ah putain ! Si elle te voyait, elle serait pas fière... » Le soutien moral est un peu brutal, mais c'est la marque de Bizness – ce n'est pas toujours de la dentelle. Il continue : « Bon, ça y est, t'as pleuré, maintenant c'est fini. Et je vais te dire, ta mère, elle doit être soulagée là où elle est. »

J'ai un peu la tête ailleurs. Bizness met sa main autour de mes épaules et me dit : « Tu me connais ? Moi aussi j'ai perdu ma mère. Mon père, je t'en parle pas. Regarde, je suis moche et je ris tout le temps. Je m'en fous. La vie, c'est sourire. La vie, c'est simple. Tu sais, nous, on est des sauvages, on n'a besoin de rien ni de personne. On est comme ça, chez nous. »

Ses mots commencent à faire leur effet. Je reprends un peu de force, je me dis qu'il faut agir pour ne pas sombrer. En vérité, Bizness est un tendre. Je me souviens du jour où il m'avait dit qu'il était tombé « vraiment » amoureux. Tombé, c'était bien le mot. Il était tout heureux, « Maintenant, j'ai quelqu'un, je peux faire quelque chose », croyait-il. Au bout de trois mois, Noémie était partie. Bizness ne comprenait plus rien, lui qui passait son temps à dire qu'elle est simple, la vie.

Je ne sais pourquoi je pense à tout cela, quand les paroles de Bizness me secouent. « Allez, lève-toi, on va boire un coup. Ta mère a fait son bout de chemin, elle a fait ce qu'elle avait à faire. Maintenant, c'est à toi. C'est ton tour, et moi je suis sûr que tu peux aller loin. Tu veux que je te dise pourquoi je suis toujours avec toi ? C'est simple, parce que t'es mon meilleur plan. » Il éclate de rire. Et moi je me demande si c'est un compliment. Lui est content, lève sa frêle carcasse. « Alors, on va le boire, ce coup ? » Je m'enquiers : « Tu as un peu d'argent ? » Il me répond : « T'inquiète. » Et quand Bizness dit « T'inquiète » c'est qu'il faut s'inquiéter. Je vérifie que j'ai bien ma carte bleue. Je vais dans la salle de bain et je m'envoie une rasade d'eau fraîche sur le visage – ça me rappelle la rivière. Je regarde le miroir, j'ai une de ces têtes. Je pense à ma mère et je dis : « Merci pour tout ce que tu as fait pour moi » ; cette fois, je n'arrive pas à retenir les larmes, moi qui n'ai jamais pleuré. Sauf...

Je suis dans un état second. Je ne sais par quel étrange phénomène je revois l'arbre au bord de la rivière de mon enfance, ma mère quand elle me demande de manger l'abricot dehors, l'arrivée à l'aéroport il y a maintenant vingt-cinq ans avec cette sensation de froid que je ressens à nouveau.

Bizness m'emmène au Café Lorette, situé à l'angle de la rue de Châteaudun et de la rue Bourdaloue, une toute petite allée, cinquante mètres à peine, qui longe l'église Notre-Dame-de-Lorette, à quelques pas d'où la Nadja de Breton a erré.

Le petit rouquin remarque deux filles assises à la table

ronde du fond. Elles sourient. Bizness me lance : « Allez, on va se faire inviter. » Je déteste son idée, mais il est déjà en action. Il s'approche de la table et s'assoit sans être convié. Il leur dit bonjour avec son plus beau sourire. Bien que surprises, les deux femmes ne montrent pas de réticence. Elles s'en amusent. Bizness me présente comme son meilleur ami et leur dit que mon métier c'est d'écrire sur la vie des gens, si jamais ça les intéresse. La blonde s'appelle Maïté, la brune c'est Manu. Mon meilleur ami prend ces présentations pour une invitation. Il est à l'aise. « Ça a l'air bon, ce que vous avez pris. C'est quoi ? On dirait une bière blanche, une Hoegaarden, non ? Je vais prendre la même chose », dit-il en faisant les questions et les réponses.

Les deux copines viennent de Caen, elles passent un week-end à Paris. Elles ont adoré Montmartre. Bizness s'invente un studio rue Seveste, en face du marché Saint-Pierre, au dernier étage, avec vue sur le Sacré-Cœur. Je fais les gros yeux. Il espère qu'elles ont bien pris la rue Ronsard et ces escaliers qui montent vers la petite place de la rue Muller, il leur conseille la terrasse du restaurant L'Été en pente douce, « le meilleur rapport qualité/prix de Montmartre ». « Vous dites au patron que vous venez de la part de Bizness, il vous fera un petit geste. » Il lance un clin d'œil à Maïté.

On parle de tout et de rien. Ensuite, Bizness, en verve, leur donne un couplet sur son quartier à Athènes, Plaka, « Derrière le décor de carte postale, il y a des rues, je ne vous raconte pas... » Et il leur raconte. Je suis bluffé – je crois à ses histoires à chaque coup. C'est un conteur fabuleux.

Trois quarts d'heure passent, c'est agréable, mais j'ai envie de rentrer chez moi. Je pense à ma mère et je n'arrive pas à me faire à l'idée qu'elle n'est plus là. Rien n'est vrai tant que je ne l'ai pas vue. Mon ami a dû le remarquer. Il se lève, fouille dans ses poches, me regarde et dit : « Merde, j'ai oublié mon portefeuille chez toi, je voulais vous inviter, mesdames. » Maïté, la blonde, n'est pas dupe, mais elle dit gentiment : « Vous êtes nos invités, même si nous sommes chez vous. » Alors Bizness en rajoute, théâtral : « Ah ! Ça non ! C'est le monde à l'envers, ma parole ! Vous venez à Paris, c'est pour nous ! » Il voit qu'il commence à être convaincant, il se rattrape : « D'accord, pour cette fois ça passe, mais la prochaine c'est pour moi. » Il leur donne rendez-vous le lendemain. Pour la forme, surtout.

J'ENVIE CEUX QUI SAVENT
OÙ ILS SERONT ENTERRÉS

Ma mère n'avait pas émis de vœu particulier. C'est elle qui avait parlé de la mort. Elle m'avait dit : « Tu peux m'enterrer n'importe où. N'importe où. » Puis elle avait réfléchi, avant même que je fasse le moindre commentaire. « N'importe où... Mais je t'en supplie, n'envoie pas mon corps Là-bas. Pas au pays maudit. Pas la terre qui nous a abandonnés. »

Le docteur Rieux a été exceptionnel dans son soutien. Il m'a dit qu'il se sentait proche de ma mère, qu'elle lui rappelait la sienne, « ces êtres de peu mais qui donnent beaucoup », a-t-il affirmé joliment.

J'ai choisi le cimetière de Presles-en-Brie, près de Tournon. Il est entouré d'arbres. Ses copines ne seront pas loin, et la gare est à cinq minutes à pied. Je continuerai de venir le dimanche. Et puis à quelques centaines de mètres coule la Marsange, une petite rivière que je vais apprendre à connaître.

J'envie ceux qui savent où ils seront enterrés. Moi, je ne le sais pas. Je ne le sais pas parce qu'il m'est impossible de trouver une réponse. J'ai beau chercher : ni ma ville natale – oh ! Mon Dieu, comme elle paraît si lointaine, étrangère –, ni la ville qui m'a accueilli, ni l'endroit où je vis aujourd'hui ne me semblent constituer des lieux où je pourrais reposer. Je flotte. Est-ce pour cette raison que je fais un métier qui consiste à écrire des tombeaux de papier ? Que je recueille des histoires qui ne devraient intéresser personne, des récits de vie, comme on dit ? Les inconnus sont ma famille.

POURSUIVRE UNE CHIMÈRE

Quand un peu de fraîcheur se mêle au soleil, c'est mon temps idéal : une douceur qui me rend léger au monde. Il en faut de la légèreté, ce mardi après-midi d'avril au jardin Villemin, rue des Récollets, dans le Xe arrondissement. J'ai une appréhension : Nadia pourrait être là. Le Collectif Les Morts de la rue organise sa cérémonie annuelle. Si Nadia travaille pour eux, il est impossible qu'elle ne se joigne pas à ce rendez-vous essentiel. Sinon, ma quête aura été une nouvelle fois vaine.

Le Collectif a été créé pour rendre hommage aux personnes décédées dans la rue ou isolées. Il regroupe une cinquantaine d'associations, comme ATD et les Petits Frères des Pauvres, qui travaillent en lien permanent avec les précaires. Leurs bénévoles collent des affiches sur les murs ou les scotchent sur des arbres et des bancs afin de retrouver les noms de ceux qui meurent sur un trottoir, dans un squat ou dans une chambre d'hôtel insalubre. Le plus souvent, ces volontaires qui arpentent les rues à la recherche de bouts de biographie ne récoltent qu'un surnom.

J'apprends que l'espérance de vie dans la rue ne dépasse pas les quarante-huit ans ! Contrairement à une idée reçue, il n'y a pas de saison pour mourir, l'été frappe comme l'hiver. On meurt autant d'usure morale que physique, dit la présidente du Collectif.

Je pense d'abord à Lora. Elle fait partie de ces macabres découvertes, 500 à 600 personnes chaque année – une infime partie de tous ces gens morts sans que quelqu'un les reconnaisse et les enterre dignement, ou la famille retrouvée refuse de se déplacer pour ne pas avoir à payer les obsèques.

Je marche dans les allées du jardin Villemin. C'est un bel endroit, comme une île de calme au milieu de quartiers bruyants ; autour il y a le canal Saint-Martin, la gare de l'Est, la rue du Faubourg-Saint-Martin, un peu plus loin le grouillant boulevard de Strasbourg. Le jardin a été aménagé à la place de l'ancien hôpital militaire – l'inscription sur le haut de l'entrée est encore visible. Le jardin voisine avec le couvent des Récollets, devenu un centre de conférences et de recherches. Il est paisible, mais il ne faut pas avoir peur des rats : ils sont ici chez eux, paradant comme les écureuils de Central Park. J'arrive en avance. Je m'assois sur un banc près d'un arbre. Mes yeux se posent sur un trèfle à quatre feuilles. Un bon présage ?

Aujourd'hui, les allées du jardin sont couvertes de pétales de roses.

Je marche et je pense à Nadia. Tout à l'heure, la cérémonie d'hommage aux morts de la rue va commencer. Je vois les affiches placardées tout le long des allées, même sur l'un de mes arbres préférés, un figuier. Je lis ce que le Collectif appelle des « récits de vie », des années d'existence résumées en deux ou trois lignes. Les mots qui reviennent le plus souvent sont : « enfance chaotique », « sans domicile depuis un, deux ou dix ans », « vit entre jardins publics, chambres d'hôtel et hébergement d'urgence », « alcool », « maladie », « solitude ». La mort n'est jamais claire : mauvaise santé ? Accident ? Violence ? Suicide ? Quand elle est déclarée « naturelle » c'est juste qu'il n'y a pas eu d'agression externe.

Sur le kiosque, face au canal Saint-Martin, un mémorial éphémère a été érigé. 566 noms. Quelques informations ont été recueillies : un prénom, un âge, et quand on retrouve une pièce d'identité s'ajoutent un nom et un lieu de naissance. Rarement plus. Parfois, les voisins viennent à la rescousse pour ajouter quelques bribes de vie à cette existence passée en invisible.

« Norbert, 44 ans, mort à Mâcon en mars »

« Une femme, 30 ans environ, non identifiée, décédée le 15 janvier à Cassis »

« Doudou, 52 ans, mort à Toulon »

« Marco D., né le 31 janvier 1982 à Champigny-sur-Marne, mort à Paris XVIIIe »

Il est 15 heures précises. Chaque bénévole du Collectif ou des voisins de ces morts anonymes vont lire, en se relayant, une vingtaine de noms pour rendre un dernier hommage à chacun de ces 566 hommes, femmes et enfants. Je suis debout sous un arbre, il y a assez de monde pour que je ne sois pas vu.

À 15 h 44 – j'ai regardé l'heure sur mon téléphone portable –, elle est apparue. Elle est là. Les années n'ont eu aucune prise sur elle, c'est ce que j'ai pensé en premier. Le sentiment de l'avoir quittée hier. Elle a les cheveux plus courts, elle semble plus femme, alors que moi j'ai du mal à passer à l'âge adulte. Mais le changement le plus notable est invisible : je crois qu'elle a l'air plus à l'aise, plus confiante, moins timide – c'est l'idée que je me fais parce que avec moi elle n'aurait jamais pris un micro devant une centaine de personnes. Elle a monté les quatre escaliers qui mènent au kiosque, avec cette lenteur que je lui connaissais. Je ne la vois que de profil au moment où elle égrène sa liste de noms. Je ne suis pas concentré mais j'entends qu'elle prononce celui de Lora. Elle a toujours cette voix légèrement grave et enveloppante, si chaleureuse. Sa gorge se noue au moment où elle dit « Lora Do Nascimento, trente ans, née à Coimbra, au Portugal, décédée à Aubervilliers ». Elle se retourne un instant. Je fixe intensément son visage. Elle ne me voit pas. Ses yeux en amande me donnent toujours cette vive impression qu'ils se sont ouverts pour consoler des chagrins du monde.

Ça dure dix minutes. C'est le temps pendant lequel j'ai mille pensées à la seconde.

Nadia descend du kiosque à pas lents, sa feuille de noms à la main. Quand elle est en bas de l'escalier, une petite fille d'à peu près trois ans se précipite sur elle, s'accroche à ses jambes et lui crie « Maaamaan... ». C'est un petit cri d'enfant qui me foudroie. Je prends à peine conscience de la situation que je vois un homme tenter de retenir la petite, il l'arrache des jambes de sa mère et la prend dans ses bras. Je ne les vois que de dos. Nadia met sa main droite sur la hanche de cet homme, celui-ci n'attend pas : il met sa main gauche sur l'épaule de Nadia et la serre contre lui. Je sais à cet instant que ce geste d'une infinie tendresse restera ancré dans ma mémoire.

Et pour tout dire, je ne sais pour quelle raison – est-ce la douceur du printemps ? Ce mémorial éphémère ? Le sourire radieux de Nadia quand sa fille s'est précipitée sur elle ? –, entre la souffrance et le soulagement, c'est le soulagement qui l'emporte.

En voyant enfin Nadia, je comprends que je courais après une chimère, un amour rêvé. Je repense aux paroles de Jean-Patrick Spak : « Vous plongez dans le passé. Demandez-vous ce que vous y cherchez vraiment. » J'ai écrit une fiction que je me suis racontée et j'y ai cru, à cette histoire. Oui, ça me saute à la figure, je n'ai fait que poursuivre une chimère : « Projet séduisant, mais irréalisable ; idée vaine qui n'est que le produit de l'imagination ; illusion », m'indique le dictionnaire. Et au cas où je ne l'aurais pas bien compris, il me donne des synonymes : fantasme, fantôme, mirage, rêve, rêverie, songe, utopie. Autant de béquilles. Comment n'ai-je pas imaginé un instant que Nadia allait poursuivre son chemin, trouver un travail en accord avec ses valeurs, rencontrer un homme et fonder une famille ? Une existence presque normale.

Sur un document du Collectif Les Morts de la rue, je tombe sur le prénom de Nadia accolé à un nom que je ne connais pas – si je pouvais lui rappeler tout ce qu'elle disait à propos du mariage et de la liberté... Je vois dans le document que sa mission consiste à écrire ces « récits de vie » que j'ai lus tout à l'heure, ces biographies anonymes rédigées à partir de bribes d'informations et d'anecdotes arrachées au gouffre de l'indifférence. Je souris : on exerce le même métier.

Le jardin Villemin possède trois sorties, je prends celle qui donne sur l'avenue de Verdun pour me rapprocher de la gare de l'Est. Marcher m'apaise un peu. Je vais dans un endroit tranquille, un café que je connais, Le Dellys, chez Danny, rue des Deux-Gares, une allée qui fait la jonction entre la gare de l'Est et la gare du Nord. Ce bar-restaurant reste ouvert jusqu'à deux heures du matin, c'est là que j'avais emmené Moussa.

En espérant voir Nadia, j'avais pris mon exemplaire de *Nadja* – j'ai du mal à assumer mon côté superstitieux : j'ai toujours des petits gris-gris avec moi quand je désire que quelque chose m'arrive, j'ai mis le trèfle à quatre feuilles du jardin dans mon cahier, j'ai un noyau d'abricot dans mon sac, je touche un arbre avec ma main gauche...

En marchant, je me dis que Nadja, de son vrai nom Léona Delcourt, connaissait bien ce quartier proche des deux gares, c'est le premier lieu qu'elle a vu en venant à Paris après avoir quitté son Nord natal.

Nadia était ma quête, et voilà que dans ce bar, assis près de la fenêtre, buvant mon café, c'est plutôt à un personnage de livre que je pense. Je me dis que Nadja-Léona était une funambule tentant de tenir debout chaque jour, jusqu'à tomber dans la folie et mourir en hôpital psychiatrique, à quelques mètres de là où elle est née. Triste sort. J'ai ouvert le récit que je n'avais pas relu depuis trois ou quatre années. J'avais oublié ces mots de Nadja s'adressant à André Breton : « Prends garde : tout s'affaiblit, tout disparaît. De nous il faut que quelque chose reste... »

J'avais douze ans. Je découvrais une langue qui n'était pas la mienne. Une langue étrangère. Je commençais à m'y sentir à l'aise, à l'aimer, à en jouer. Je lisais Aragon, Éluard, Bernardin de Saint-Pierre, Camus, Breton, Steinbeck, Maupassant. Je ne comprenais pas tout, loin de là, mais j'étais subjugué. Nadja *était une grande sœur paumée. Je recherchais* L'Étranger *– comme moi – dont il est question dans les pages de Camus, et je n'arrivais pas à le trouver. Mais en Camus j'ai trouvé un père qui me parlait et me comprenait, qui me tient toujours compagnie.* Paul et Virginie *me bouleversaient. Des souris et des hommes était pour moi la plus admirable et la plus cruelle histoire d'amitié. Les poèmes d'Aragon et d'Éluard me rendaient plus fort et plus fragile. Maupassant m'a gentiment fait croire que la littérature était chose simple, qu'un lecteur ne demande que ça :* « Consolez-moi. / Amusez-moi. / Attristez-moi. / Attendrissez-moi. / Faites-moi rêver. / Faites-moi rire. / Faites-moi frémir. / Faites-moi pleurer. / Faites-moi penser. »

Il fallait que je ressente physiquement les mots. Une professeure m'avait offert le Petit Larousse, et c'était mon fidèle compagnon. Je relisais les livres un nombre considérable de fois – cela m'arrive encore aujourd'hui. Par désir de mieux saisir leur mystère, de m'y confronter, de retrouver chaque fois quelque chose qui m'avait échappé, de m'en faire des amis, mais aussi, il faut bien l'avouer, pour de simples raisons économiques.

L'école était une terre de tous les possibles. J'étais un mort de faim de connaissances. Je n'ai pas loupé une seule demi-journée scolaire de toute ma vie. On a beau lui cracher dessus, à cette vieille école républicaine, la dénigrer, la charger de tous les maux, je dis que c'est elle qui m'a sauvé.

Ma bibliothèque était composée d'une petite vingtaine de livres, que des éditions de poche, que j'avais constituée patiemment. Un jour, je prends mon courage à deux mains car je sais que ça va être délicat, je vais voir ma mère et je lui dis : « J'ai besoin de dix francs pour acheter un roman. » Elle me fait cette réponse dont je me souviens encore : « Pourquoi ? Tu en as déjà, des livres. »

BIZNESS AU CAFÉ DE FLORE

Bizness veut absolument m'inviter au Café de Flore. Il me dit qu'il est temps pour moi d'arrêter d'écrire pour les autres. Il me conseille vivement : « Écris sur toi. Ou sur moi. Ou sur nous deux, mais je risque de te voler la vedette. » Il se marre, mais il a raison. S'il avait bénéficié d'un soutien, d'une « structure », Bizness serait en train de triompher sur scène. Il est né au mauvais endroit.

Pour lui, ce livre passe forcément par le « Temple de l'édition » – il utilise cette formule, je ne sais où il a bien pu la trouver. « Il faut aller au Flore, tu connais le Café de Flore ? C'est là que tous les auteurs se rencontrent. Si tu n'y vas pas, tu peux pas devenir écrivain. Je t'invite à prendre un café, et tu verras... »

Comme d'habitude, il y met un tel enthousiasme que je ne veux pas contrecarrer son projet. On se donne rendez-vous place Saint-Germain-des-Prés. Je ne lui dis pas, mais je m'y suis rendu à plusieurs reprises quand il s'agissait de « collaborer » au livre d'un homme politique ou de ce grand spécialiste du développement personnel. Comme Bizness, ils pensaient que c'est dans ce café qu'il fallait être.

J'ai un peu peur pour Bizness, je ne sais s'il connaît les us et coutumes de ce lieu. Quand il arrive, il me semble à l'aise. En fait, il est à l'aise partout. J'ai l'impression qu'il a lu la page Wikipédia du Café de Flore. Il me parle de Beigbeder, de BHL, mais aussi de Sartre et de Camus. « Tu vois, même ton Camus il est venu là. Ça se trouve que c'est ici qu'il a écrit son *Étranger*. J'ai vu sa photo sur Internet. Beau gosse. Classe. Ça devait bien marcher avec les femmes, non ? »

Les cafés arrivent. On les a pris allongés, selon les conseils de Bizness, « comme ça il y en a plus pour le même prix ». Le serveur n'est pas accueillant – on occupe une table alors que les touristes ne vont pas tarder à rappliquer pour dîner. Bizness me rassure : « Tu verras, il rampera quand tu auras publié ton livre et que tu passeras à la télé chez Hanouna. »

J'ai vu la note que le serveur vient de poser, histoire de nous signaler qu'il est peut-être temps de libérer la place. Je connais le prix du café, ici. Pas Bizness – ce n'est pas indiqué dans la page Wikipédia, l'expresso est à 4,60 €. Il pose d'un geste princier un billet de 5 €. Et me dit : « Je ne suis pas sûr de lui laisser un pourboire à ce bâtard… » C'est ce que je craignais. Dans notre banlieue ou à Barbès, le café dépasse rarement 1,50 €. Je ne sais pas comment faire pour sauver l'orgueil de Bizness si jamais il se rend compte qu'avec son billet il n'a payé qu'un café. C'est à ce moment qu'il jette un coup d'œil sur la note. Et là, il ne peut s'empêcher de lancer un retentissant : « Oh ! Les voleurs ! »

Je sors un autre billet de 5 €. Bizness me dit : « D'accord. Mais la prochaine, c'est pour moi. »

IL EST TEMPS
DE COMPRENDRE POURQUOI

Ça fait maintenant quatre mois que j'ai vu Nadia. Je me promène parfois au jardin Villemin, mais je n'éprouve plus ce besoin irrépressible de la retrouver. Je sais désormais que sa vie est ailleurs. Et la mienne ? Qu'est-ce que je vais faire de tout ça ? Est-ce que je vais continuer à m'engluer dans le passé, à m'accrocher à l'idée de Nadia comme à une bouée ? Il faut que je réponde à l'interrogation de Jean-Patrick Spak : « Demandez-vous ce que vous cherchez vraiment. » Je dois arrêter d'esquiver la question. J'ai besoin de seulement quelques minutes pour détecter la fêlure chez les autres. Mais chez moi, où est-elle ? Combien de couches de protection ai-je mis pardessus ? Qu'est-ce qui me constitue ? J'ai beau chercher, je n'y arrive pas. Je prends la fuite.

Il est temps de comprendre pourquoi j'ai souhaité recueillir ici ces histoires qui m'ont été confiées durant les années 2012 à 2018. J'en suis le narrateur et le témoin ; et il m'est arrivé d'en être l'acteur. C'est durant l'été 2016 que ma quête de Nadia est devenue obsessionnelle, même si j'ai toujours pensé à elle.

Certaines personnes rencontrées ont préféré ne pas me laisser leur nom parce qu'elles avaient honte, m'expliquaient-elles. Honte d'être pauvres. J'insistais : « Mais vous n'avez pas à avoir honte. » On me répondait toujours : « Vous ne pouvez pas comprendre. » Je n'osais pas leur dire que si. Alors je me contentais de les habiller de mots et de cet élan de tendresse que j'éprouve chaque fois ; c'est plus fort que moi, je me dis que ces paumés, ça peut être ma mère, ses amis, des « cousins », des « sœurs » ou des « frères ». Ou mon père. Qu'est-ce qu'il a pu bien devenir, celui-là ? Décidément, il vaut mieux avoir un père mort qu'un père absent – au moins, on sait où il repose et on ne vit pas avec un fantôme qu'on risque de croiser.

Quand vous avez partagé un café ou une conversation avec ces cabossés, ils ne vous quittent jamais vraiment, on traîne avec eux comme on traîne son passé. Il n'y a pas de promesses dans la relation, juste un moment passé ensemble à additionner des solitudes avec l'illusion que moins plus moins donne un peu plus.

Le métier de biographe pour anonymes confère des devoirs : ne pas trahir leurs paroles, sinon on manque de considération envers des gens qui ont tant souffert d'en avoir manqué.

Lors de mes rencontres, souvent vers la fin de la conversation, j'ai eu droit à : « Et toi ? Et toi, pourquoi tu t'intéresses à nous ? » J'ai mis du temps à saisir : ils me demandaient de me mettre à nu, moi aussi, d'être à égalité, de ne pas me croire différent sous prétexte que je suis celui qui pose les questions et attend des réponses, celui qui écrit. C'était donnant-donnant. Ils me poussaient dans mes retranchements. Je voulais garder mon histoire pour moi et ils voulaient savoir pourquoi je m'intéressais à eux, à tout ça, à la pauvreté. Ils n'étaient pas dupes – on ne vient pas, l'air de rien, leur parler de ce sujet sans traîner une valise avec soi. Ils me déstabilisaient avec leur regard, me signifiant : « N'es-tu pas un funambule aussi ? Ne tentes-tu pas de rester droit sur un fil ? N'as-tu pas peur de tomber ? Dis-nous un peu. »

Je ne me suis pas interrogé, ou j'ai fait semblant. Ça m'arrangeait bien. Mais oui, il faut se dévoiler, à un moment se laisser aller à confier : « Voici ma fêlure. Voici qui je suis. » Leur attitude était compréhensible, ils ne désiraient pas une interview mais un échange, un partage. C'est plus juste. Aussi, quand je leur racontais que ma famille avait été aidée par le Secours populaire, que j'ai porté des vêtements que d'autres avaient portés, que la cantine de l'école était un palace, que l'on faisait une fête d'un sandwich kebab, alors le lien de confiance s'établissait. Ils me comprenaient. J'en restais là. Pas besoin d'en rajouter. Mais j'en suis conscient : on se perd à trop vouloir fuir.

La fêlure est sans doute là, dans ce qu'il faut bien appeler une revanche sur le sort qui m'attendait. Une rage de vivre quand même. Chez nous, chez ceux que l'on met dans le camp des perdants de naissance, on est capable de montrer de la fierté, de l'orgueil. Ce ne sont pas de beaux sentiments, comme dirait le Philosophe, parce qu'on vit sous l'emprise du regard des autres ; mais à notre manière c'est une sorte d'amour-propre qui nous pousse à agir, à nous surpasser, la conscience qu'on mérite la dignité, le respect. On sourit quand on est sous-estimé, c'est notre lot quotidien, et notre force aussi car ça nous permet de surprendre. C'est sûr, on ne démarre pas avec la confiance chevillée au corps.

La fêlure, c'est aussi, il faut bien l'avouer, un désir fou d'être aimé, ou, du moins, de recevoir un peu d'égards. On est prêt à en faire beaucoup pour mériter tout ça. Moi, c'est ma mère qui m'a donné la main et ce goût de la bagarre. Elle ne sait ni lire ni écrire ? Alors, j'en ferai mon métier. On a changé de pays ? Alors, j'adopterai celui qui m'a accueilli au plus profond de moi, avec sa langue, sa culture, jusqu'à ses contradictions même ; pour lui dire merci de m'avoir sauvé, d'avoir aidé ma mère et ces compagnons d'infortune ; merci à ces associations, ces bénévoles qui ont apporté un coup de pouce à Bizness, Moussa, Chantal, Leïla, Béa..., qui nous ont soutenus sans se pincer le nez devant nos mains sales, ni se moquer de cette veste Adidas bleue que j'ai portée trois années durant sans discontinuer.

Il me faut aller voir plus loin encore, au plus profond de la fêlure. Ou plutôt avant. Avant ce choc de l'arrivée en France. Aller à la rencontre du petit garçon de neuf ans que j'ai laissé là-bas. Lui parler, l'apaiser. Recueillir ces histoires et ces souvenirs, c'est lui dire : je ne t'ai pas oublié, tu es toujours en moi. Et puis n'en veux pas à ton père – ce n'est qu'un pauvre homme, il a fui. Ta mère a fait ce qu'elle a pu. Je sais, on aurait dû te protéger comme on doit protéger les enfants arrachés, te chuchoter des mots d'encouragement : tu vas y arriver, ne t'inquiète pas, on change de pays mais on reste ensemble. Tout va bien se passer, il y aura des obstacles, des chemins piégés, de belles choses à découvrir et d'autres qu'il faudra abandonner. C'est la vie. Chaque être est un exil.

J'allais oublier : ma mère m'a appelé Kateb, ça veut dire écrire.